KB178218

©강재영

강 재 영

  1997년 경기도 화성 출생. 대진대학교 영화영상학과에서 공부했다. 2023년 영상화 기획 소설 <글리제 키드의 귀환>을 출간했다.

  오래된 연립주택과 벽돌 또는 타일 건물들이 많은 동네를 좋아한다. 그곳을 산책하며 고요한 세상의 작은 부조리와 억눌린 내면이 담긴 이야기를 써 내린다. 그리고 각본 집필의 꿈을 이루고자 지금도 반걸음씩 나아가는 중이다.

타오르는 폐곡선

강재영 지음

창작공간, 잇스토리

본 소설은 영상화를 위해 기획 및 발행됐습니다.

목차

전선 · 11

아무개 · 165

작가의 말 · 283

전선

전선 [전:선] [명사]

1. (戰線) 전쟁터에서 적과 상대하는 맨 앞에 설정한 가상선
2. (前線) 직접 뛰어든 일정한 활동 분야.
3. (前線) 성질 다른 두 기단의 경계면이 지표와 만나는 선이자 일기(日氣) 변화의 요인.

⊙ 등장인물

장민주 (23_여) : 마을회관에 은둔 중인 저수지의 공공근로자.
백하성 (44_남) : 불법 심부름센터 '불도저 서비스'의 사장.
최보은 (50_여) : 민주의 모친이자 도박 중독자.

염대호 (25_남) : 민주와 친해지고픈 또래 공공근로자.
서준일 (27_남) : 하성의 부하 직원.

낚시꾼, 노숙자, 보은의 호구들, 막장 부모들, 공공근로자들 등.

흐리고 높은 하늘 아래, 앙상하고 야트막한 산 너머로 날카로운 공기총 소리가 울려 퍼졌다. 솟아오른 까마귀 떼가 지척의 저수지로 내뺄 즈음, 말라비틀어진 미끼용 지렁이들이 널린 포장도로 한가운데, 검붉은 핏방울이 뚝뚝 떨어지는 중이었다. 목장갑 낀 누군가의 손이 까마귀 모가지를 움켜쥔 까닭이었다.

새카만 두 눈의 민주는 까마귀 사체를 노려봤다. 서늘한 미풍에 날리는 머리카락이 민주의 흰 얼굴을 스쳤다. 민주는 그러든 말든 모가지 움켜쥔 손에 힘을 줬다. 자연스레 벌어진 아가리로부터 짙은 핏물이 철철 쏟아졌다. 운동화 앞축에도 핏물이 튀었다. 목장갑마저 서서히 진한 검붉은색으로 물들었다. 그럴수록 민주의 입가에 불규칙한 경련이 일었다. 당장 송곳니를 드러내 씹어먹어도 시원찮을 기색인데, 이윽고 잔잔히 심호흡 후, 금방이라도 썩은 커피 향이 올라올 듯한 마대 안으로 까마귀 사체를 던져 넣었다. 비로소 고속도로 교량을 질주하는 엔진 소리가 귀로 들어온 듯했다. 고개 돌린 민주는 빠른 속력의 무채색 자동차들을 올려다봤다. 창백한 낮빛에 어딘지 모를 경직마저 드러나려 했다. 더구나 높은 기둥들이 우두커니 박힌 하부로도 엔진 소리가 내내 울렸고, 지자체 마크가 새겨진 작업용 조끼 차림의 공공근로자들이 모여들었다. 민주는 코를 한 번 훌쩍이며 등 뒤로 손을 숨겼다. 곧바로 조끼 뒷면에 목장갑의 핏물을 벅벅 닦아냈다.

교량 하부의 구석진 곳에는 공공근로자들의 마대들이 한가득 몰려있었다. 그중, 아마 민주의 마대로부터 검붉은 핏물이 새는 것 같았다. 핏물의 긴 줄기가 반대편 농수로까지 뻗으려는 기세였다. 포장된 경사로 초입에 앉은 공공근로자들이 핏물의 방향을 다소 징그럽다는 듯 내려다봤다. 이내 중년의 작업반장이 얼굴을 긁으며 일어났다.

"민주야."

경사로 중턱에 걸터앉아 담배 연기를 내뿜던 민주는 작업반장 쪽으로 동공을 내렸다.

"예."

"저거 있잖애, 저거에 뭐 담은 거니?"

민주는 마대들을 내려다봤다.

"그거, 그, 까마귀 죽은 거요."

공공근로자들이 저마다 흠칫한 나머지 하나둘씩 몸을 앞으로 틀었다.

"다음에는 그냥 가생이에다 밀어버려."

민주는 작업반장의 조언에 대강 고개만 끄덕였다. 작업반장이 도로 자리에 앉아 다른 근로자들과의 수다를 재개했다. 이내 민주는 누군가의 시선이 감지된 터라 고개를 돌렸다. 중턱 부근에 조금 떨어져 앉아있는 같은 또래의 남자가 보였다. 민주는 핏기가 아주 옅게나마 도는 얼굴로 남자를 빤히 보기만 했다. 그러자 남자가 엷은 미소를 짓고는 가벼이 눈인사를 건넸다. 곧장 담배를 블록에 비벼 끈 민주도 뻣뻣한 눈인사로 답했다. 다시 먼발치로 시선을 바꿨음에도 귓불을 잡아당기며 이미 꺼진 담배 한 개비를 계속 비벼댔다. 바닥에 그을린 자국들이 그려질수록 꽁초가 납작해지기 직전이었다. 얼마 안 있어 아지랑이는커녕 무르팍의 담뱃재만이 옆으로 날아갈 뿐이었다. 민주는 손등으로 얼굴을 문지르고는 헛기침을 뱉었다. 쌩, 기다란 고속열차가 저수지의 교량을 질주했다.

공공근로자들이 폐쇄된 간이초소 앞에 마대들을 하나씩 쌓았다. 민주는 한참 떨어진 곳에서 빵빵해진 마대를 들어 올린 채 움직이고 쉬기를 반복하는 중이었다. 그럴수록 깡통과 플라스틱이 더 뒤섞이는 것 같았다. 민주는 무릎 굽혀 앉아 이

마의 땀을 닦았다. 입에서 단내가 나는지 볼 점막과 잇몸 곳
곳을 혀로 쑤셨다. 이내 다시 일어섰으나 쫘악, 하며 찢어진
마대 밑창으로 온갖 쓰레기가 쏟아졌다. 까마귀 사체도 대가
리부터 드러나 맥없이 스르르 떨어졌다. 민주는 눈을 깊이 감
았다 뜨며 입술을 앙다물었다. 허리를 숙이려는 차, 뒤에서
누군가 달려오기 시작했다. 경사로 중턱에서 눈인사를 나눴던
같은 또래의 남자였다.

"괜찮으세요?"

민주는 허리춤에 손을 올리려다 다시 내리며 급히 고개를
끄덕였고, 남자가 조끼 앞주머니에서 꼬깃꼬깃 접힌 마대를
꺼내 휘둘러 펼쳤다. 손 뻗어 쓰레기를 주우려는 남자가 까마
귀 사체를 보고는 멈칫했다. 다른 근로자들과 달리 의연한 표
정인 남자가 까마귀 사체를 구석으로 대충 걷어찼다.

"앗."

민주는 구석으로 굴러 내려가는 까마귀 사체를 보며 외마
디를 뱉었다. 그러자 남자가 이어 말했다.

"이런 거 줍지 마요."

"아, 네……."

민주는 그런 남자의 태도가 신기한지 빤히 보기만 했다. 그
러고는 쓰레기를 같이 주워 담았다.

"괜찮아요, 이거 제가 할게요. 깨진 게 많아서."

"아니에요, 제가 흘린 거니까……."

　새 마대에 쓰레기들이 조금 찰 즈음, 남자의 팔에 솟아오른 푸른 핏줄이 민주를 멈칫하게 했다. 민주의 눈빛이 일순간 멍해졌다. 입술마저 엷게 벌어졌다.

　저수지와 가까운 마을회관 외벽에는 일회용 낚싯대들이 비스듬히 세워진 상태였다. 은빛의 낚싯바늘에는 이슬 한 방울이 맺혀 느릿느릿 외벽을 타고 내려갔다. 남자가 저수지 위를 둥둥 떠다니는 방갈로를 보다가 스트레칭을 할 때, 민주는 마을회관 현관에서 잰걸음으로 나왔다. 아울러 민주는 헐떡이는 호흡을 삼키며 담배 보루를 건넸다. 큼지막한 알파벳이 적힌 외제 담배 보루였다. 이내 남자가 눈인사와 함께 담배 보루를 받았다.

"이걸 피워요? 이거 되게 독한 거예요."

　민주는 남자의 놀란 기색에 오히려 고개를 갸웃하며 말했다.

"딱히 신경 안 쓰는 편이라서요."

　남자가 담배 보루를 킁킁 맡더니 인상을 살짝 찡그렸다. 콜록, 잔기침 뱉은 남자의 모습을 본 민주가 엷은 미소를 지었다. 남자가 말했다.

"어우, 기침 나올 것 같아."

"…… 그럴 수 있죠."

남자가 고개 숙인 채 답하는 민주를 보고는 담배 보루 잡은 손을 내려놓았다.

"근데 여기 사나 봐요."

민주는 고개를 들었으나 눈을 마주하진 않았다.

"네."

"신기하다. 그렇구나……. 아, 맞아, 저는 염대호라고 해요. 우리 가끔 보기야 봤는데 인사 나눈 적은 없는 것 같아서. 그쪽은 이름이 어떻게 되세요?"

오랜만에 타인의 이름을 들었는지, 민주는 입술을 오므렸다가 내밀더니 대호를 힐끗대기 시작했다. 민주는 꼼지락거리는 손가락을 뒤로 숨기고는 말했다.

"네, 장민주, 라고 해요. 그리고 알아요……. 우리 봄부터 봤잖아요."

민주는 내내 귓불을 잡아 뜯을 것처럼 꼬집었다. 대호가 밝은 표정으로 고개를 끄덕였다.

"환경정비 일 지망으로 쓰신 건가요?"

대호가 민주의 작은 목소리를 놓친 듯했다. 얼마 안 가 알아들었는지 이어 말했다.

"아, 네, 저는 일 지망이에요."

민주가 그제야 대호와 눈을 제대로 마주하며 말했다.

"그래요? 전산 보조가 아니라? 이거 힘든데 왜 일 지망으로 쓰셨어요?"

"제가 컴퓨터 다룰 줄을 몰라요."

민주는 피식 웃는 대호의 얼굴을 보고는 다시 고개를 숙였다. 민주의 얼굴에도 경직된 미소가 올라왔다.

"담배 감사해요. 잘 피우겠습니다. 또 봐요."

민주는 몸 틀어 떠나려는 대호를 보자마자 핸드폰을 꺼냈다.

"아, 저기……."

대호가 다시 민주 쪽으로 몸을 틀었다.

"우리 구역에는 아저씨랑 아줌마들만 있잖아요. 이제 가끔 연락하면 좋을 것 같아서요. 괜찮으시면 번호 한 번만 알려주실래요? 싫으시면 어쩔 수 없지만……."

일순간 멍해졌으나 웃음기가 돌아온 대호는 민주의 핸드폰을 낚아채 액정을 누르고, 긴 진동이 울리는 자신의 핸드폰을 꺼내 보여줬다. 민주는 자신의 핸드폰을 돌려받으며 이미 수줍음이 다 드러난 채 까딱 눈인사를 건넸다.

"다음에 봐요."

대호가 작별 인사와 동시에 뒤 돌아 떠났다. 민주는 그의 모습이 서서히 점만 한 크기로 작아질 즈음, 핸드폰을 내려다 보다가 주머니에 넣었다. 어느새 엷은 미소가 가라앉고, 민주는 저수지로 시선을 옮겨 짧은 한숨을 내쉬었다. 한 손으로 얼굴을 비비고 코를 훌쩍이며 좁다란 서성거림이 이어지는데, 익숙한 노곤함과 서늘함이 민주의 눈 밑에 슬슬 드리워지려 했다. 때마침 찰랑, 물고기가 꼬랑지로 물장구치는 소리가 들렸다. 민주는 들었음에도 못 들은 듯, 잔디와 조약돌이 깊숙이 밟힐 만큼 마을회관 현관으로 느릿느릿 걸어갔다.

검푸른 어둠이 하늘에 드리워져 갔다. 마을회관 2층의 주거 공간, 부엌과 작은 방 두 칸, 화장실이 전부인 곳, 나무 색깔의 딱딱한 바닥 마감재에 꼬랑지 구겨진 소주 뚜껑이 굴러다녔다.

꿀꺽꿀꺽, 민주는 개수대 앞에서 접이식 사다리 의자에 앉아 소주를 병째 들이켜는 중이었다. 주유구에 기름 넣는 양, 식도를 적실 때면, 활짝 열린 쪽창 방충망에 들어오는 아궁이 냄새가 실린 찬 바람으로 볼을 식혔다. 민주는 두 눈이 풀려가는 줄도 모르는 건지, 허리가 서서히 굽어지며 목마저 뒤로 쏠리려 했다.

불 꺼진 작은 방에는 구겨진 옷가지 몇 벌과 에어 파스, 담뱃갑의 비닐이 이곳저곳 널려있었다. 빈 소주병들도 바깥의 하얀 가로등 불빛을 받으며 우두커니 서 있었다. 민주는 두꺼운 요 위에 널브러진 지 꽤 오래였다. 들이마시고 내쉬는 호흡이 안정적이었다.

별안간 민주는 잔기침을 뱉었다. 문 옆의 얼룩진 내벽에서부터 육중한 소리가 들려왔다. 쿵, 쿵, 쿵…… 쿵, 쿵, 쿵…… 민주는 육중한 소리에 따라 들썩거렸다. 호흡 또한 끊기듯 들이마시더니, 누군가의 음성마저 머리맡에서 새어 나왔다.

"이리 와."

와장창, 작은 방의 물건들은 멀쩡했다. 환청이었다.

"이리 와!"

어느 성인 여성의 찢어지는 고성과 더불어 여아의 울먹임이 선명해졌다.

"잘못했습니다…… 잘못했습니다……."

뭉개진 발음으로 겨우 구사한 여아의 사과가 채 끝나기도 전인데, 뜨거운 물이 끓는 환청마저 시작됐다. 모든 잡음과 소음이 서서히 뭉쳐 들려왔다. 이윽고 민주는 따귀 소리에 맞춰 몸을 비틀었다. 양 손가락에도 경련이 일었다. 더 나아가 오한의 신음이 입 밖으로 새어 나오기도 했다. 여아의 비명이 멀어져가고, 호흡이 더 떨려오려는 차, 열이 차올라 터지려는 주전자 소리와 함께 민주는 자리에서 벌떡 일어났다. 이미 앞머리카락이 진땀에 젖고 말았다. 일순간 또 다른 소리가 들렸다. 누군가 벽 타고 올라오는 건가, 옷소매로 땀을 닦던 민주는 급히 몸을 뒤로 틀었다. 바람에 흔들리는 바깥의 나뭇가지가 방범창을 찔러대는 거였다. 민주는 눈을 질끈 감았다 뜨며 빈 소주병을 집었다. 뚜껑 부분의 알코올 냄새를 들이마셨다. 민주의 눈꺼풀이 파르르 떨렸다.

몸이 더 무거워진 듯, 민주는 냉장고 옆의 화장대로 터덜터덜 걸어가 털썩 앉았다. 얼룩 묻은 거울로 민주의 몽롱한 얼굴이 드러났다. 두 눈도 붉어진 터, 그래서 민주는 몸을 더 앞으로 내밀어 검지로 하안검을 잡아당기듯 내렸다. 동공 주변으로 실핏줄 여러 줄기가 곳곳 뻗은 상태였다.

좁다란 화장실의 습기 찬 세탁기 몸통에 사람의 형체가 반사됐다. 민주는 고무 대야 안에 앉아있었다. 하얀 김 사이로 그녀의 등이 드러났다. 올록볼록한 척추 양옆에 옅은 커피색 반점들과 눌어붙은 자국들이 선명했다. 민주는 몸을 옆으로 기울였다. 넘쳐 내린 뜨거운 물이 녹색 수채로 빨려 들어갔다. 민주는 물에 일렁거리는 수채의 먼짓덩어리를 멍한 눈빛으로 내려다보기만 했다. 연신 몸을 기울여 물을 빼도 먼짓덩어리가 나부끼는 깃발인 양 착각하는 모양새였다. 민주는 오른손으로 눈가를 꾹 눌렀다. 쌍꺼풀이 생긴 두 눈으로 다시 봐도 먼짓덩어리만큼은 그대로였다.

남부 지역 외곽은 이미 칠흑같이 어두웠다. 길게 이어진 오래된 지방도에 전조등을 반짝이는 차량이 등장했다. 흠집 난 회색 승합차였다. 속도를 줄이지 않고 방지턱을 덜커덩 넘어 야산으로 진입했다.

핸들 잡은 손은 손톱마다 형형색색의 매니큐어가 칠해졌어도 손등에는 주름들이 자글자글했다. 푹 눌러쓴 벙거지, 검은 모피코트 차림, 야위고 퀭한 보은의 모습이 각진 룸미러에 반사됐다. 어느새 승합차의 앞 차창에 도로변 공터가 펼쳐졌다. 보은이 핸들을 돌리며 브레이크를 살살 밟았다. 컵홀더에 꽂힌 종이컵 안의 담배꽁초들도 옆으로 쏠렸다가 중심이 잡혔다.

엔진 소리가 잦아들었다. 보은은 코트 주머니에서 핸드폰을 꺼냈다. 액정 몇 번 두드리며 귀에 갖다 댔다. 작은 볼륨의 연결음이 이어졌다. 보은은 목을 가다듬었다.

"나 지금 왔어요."

보은은 운전석에서 내렸다. 거뭇거뭇 일렁거리는 낚시터의 전경이 펼쳐졌다. 보은은 코를 한 번 훌쩍이고는 공터 바닥을 밟아나가며 트렁크에 다다랐다.

"어……. 잠깐 있어봐……. 아니야. 걔는 내가 알아."

보은은 트렁크 문을 열려다 말고 아예 기댔다.

"바로 치고 들어가면 후다닥 튀어요……. 응, 저번에도 그런 적 있어서……. 알았어요, 그럼 내 오더 기다려요. 끊어요."

전화를 끊은 보은은 그제야 트렁크 문을 열어젖혔다. 그러자마자 안으로 들어간 보은은 천장에 걸린 캠핑용 전등을 켰다. 좌석 하나 없이 장판 한 장만 깔린 아늑한 공간이 드러났다. 이내 보은은 트렁크 턱에 걸터앉았다. 동공을 이리저리 움직여 어둡기만 한 공터 인근을 살폈다. 주머니에서 고무줄에 칭칭 감긴 화투패들이 나왔다. 보은은 고무줄을 풀고 한 손으로만 화투패를 잘근잘근 섞었다. 촤락, 보은은 장판 위로 화투패들을 미끄러뜨렸다. 곧이어 패 두 장을 뒤집어 내리꽂은 후, 짧은 콧김을 뿜고는 담배를 물었다. 일광과 팔광, 두 패만 뒤집혔다. 담배를 튕겨 버린 보은은 트렁크 문을 닫으며 모습을 감췄다. 멀찍이 떨어진 길바닥의 장초가 홀로 뿌연 연기를 토해내기만 했다.

열한 살의 어느 날, 넘실대는 파도로 밀려온 새끼 상어의 사체 탓에 바닷물 일부가 붉어진 때가 있었다.

빵통 같은 가방 하나만 걸친 소녀는 사산의 피비린내와 역겨운 내장 냄새로 인해 미간이 일그러지고 말았다. 근무복 차림의 해양 경찰들도 허리춤에 손만 올린 채 서성거릴 뿐이었다.

소녀의 발목이 파도에 잠겼다. 이른 날씨의 차가움에 어깨가 들썩였다. 여기 있을 게 아니지, 라는 표정으로 걸음을 옮겼다.

서걱서걱, 폭삭폭삭, 모래가 깊이 밟혀 들어갔다. 큰 발자국들 사이로 소녀의 작은 발자국이 새겨졌다. 지나가는 시청 직원이 레몬색 재킷을 벗으며 멈칫했다. 쟤 저거 반점인가, 멍인가, 허벅지 봐봐, 소녀는 개의치 않고 모래로부터 간신히 나왔다.

벽돌로 지어진 공중화장실이 보였다. 저기라면, 혼자 살아가는 데 괜찮을까, 소녀는 손톱자국이 남을 만큼 가방끈을 긁어댔다.

시동 꺼진 농기계와 허리 잘린 밭으로부터 버스 타고 벗어나면, 그 지역의 작은 시내에 다다를 수 있었다. 회색빛 모조 대리석의 상가 건물들이 널린 곳이었다. 건물 현관 앞에서 노곤한 얼굴로 담배 한 개비씩 굽는 배달원들, 무릎 굽혀 앉아 핸드폰 두드리는 가게 주인들이 남부 지역 외곽으로 온 지 얼마 안 됐다는 걸 티 없이 드러냈다.

찢어진 전단들이 널린 아스팔트 위의 오래된 오락실, 때마침 동전 교환기가 오백 원 동전들을 후두두 뱉어내는 중이었다. 민주는 여느 때와 다름없이 무감함만이 전부였다. 동전들을 쓸어 담은 민주는 곧장 오락기 앞에 털썩 앉았다. 격투 액션 게임의 로고가 오락기 화면에 꽉 찰 만큼 떠올랐다. 이내 민주는 아주 익숙한 듯, 자신의 플레이어 캐릭터를 골랐다. 목각 인형 캐릭터였다. 곧이어 덩치 큰 군인 캐릭터와의 첫 번째 대결을 알렸다. 목각 인형 캐릭터가 거리낌 없이 펀치와 킥을 날렸다. 군인 캐릭터의 게이지가 깎여나갔다. 두 캐릭터 모두 접전에 이르렀을 때, 민주는 미간과 입술이 움찔거린 줄도 모르고 버튼을 연타했다.

탕, 탕, 탕, 이윽고 다른 오락기 화면 속의 좀비들이 떼거지처럼 쏟아졌다. 민주의 눈빛은 매서웠다. 좀비가 가까이 다가와도 모조 총의 방아쇠를 함부로 연타하지 않았다. 정확히 머리통을 터뜨려 높은 점수를 따냈다. 탄환이 떨어지면 페달을 밟아 금방 채웠다. 미로의 길목마다 분출되는 총탄에 썩은 피와 살점들이 잔뜩 튀었다. 몇몇 아이들이 멀찍이서 민주를 흘깃댔다. 흐트러짐 없는 민주의 얼굴에 오락기 화면의 실루엣과 빛이 일렁거려 묻어났다.

부웅, 가파른 내리막 공도를 질주하는 오락기 화면이 펼쳐졌다. 단전의 고함과 같은 엔진 소리였다. 민주의 격하고도 절도 있는 핸들링에 깔끔한 드리프트가 전개됐다. 민주는 기어를 다시 당기더니 붉은 버튼을 눌렀다. 뜨거운 부스터가 분출돼 초고속으로 질주하기에 이르렀다. 피니쉬 타이틀이 올라온 후, 민주는 오락기 목받이에 머리를 기댔다. 짧은 숨을 내쉬고는 오른발을 바닥에 내려놓았다. 동시에 찰랑거리는 소리가 들렸다. 외투 주머니로 손을 넣은 민주는 오백 원 동전 두 개를 꺼내 살살 만지작거렸다. 묵은 땟자국을 암만 누르고 비볐으나 좀처럼 지워지지 않았다. 민주의 멍해진 두 눈이 서서히 오락기 뒤쪽의 얽히고설킨 멀티탭으로 떨어졌다. 은은한 보일러 온도로 엷은 노곤함까지 밀려온 건지, 민주는 오백 원

동전 두 개를 도로 주머니에 넣었다. 그리고 맥없이 모조 기어에 딱밤을 때렸다.

희뿌연 연기가 뒤섞인 오락실 건물의 뒤꼍에 다다르고, 민주는 담배에 불을 붙였다. 연기를 내뿜다 멈칫한 민주는 벽 보고 전화 중인 누군가의 익숙한 뒷모습을 돌아봤다.

"어?"

민주의 목소리에 뒤돈 사람은 대호였다. 전화를 끊은 대호는 민주에게 손을 흔들었다. 민주는 가벼이 눈인사만 했다.

해 저무는 터라 하늘이 제법 푸르스름해지기 시작했다. 민주는 대호와 함께 플라스틱 의자에 나란히 앉아있었다. 민주는 신발 앞축에 묻은 변색 된 핏방울을 비스듬히 밟아나갔다. 지워지지 않았다. 담뱃재를 털던 대호가 민주의 신발과 그녀의 얼굴을 번갈아 보다 말했다.

"집순이는 아닌가 봐요."

민주는 변색 된 핏방울에 시선을 고정한 채 말했다.

"가끔? 스트레스받거나 심심할 땐 밖으로 나가요. 마을버스 배차 너무 길면 택시 불러서."

"면허는요?"

"있긴 있는데…… 이종 보통."

"장롱?"

"그렇죠……. 대호 씨는 차 있어요?"

"그냥 용달차. 원래는 이모부 차였고. 나름 잘 굴러가요. 아직 어디 고장 난 것도 없고."

민주는 손 넣은 주머니에서 라이터를 꺼냈다. 조심스레 점화 버튼 위로 엄지를 얹었다.

"익숙한 냄새네, 대호 씨 담배."

대호가 민주의 느릿느릿한 말투에 피식 웃었다.

"그걸 이제 얘기해요?"

"좀 느려요, 내가."

민주는 라이터의 점화 버튼을 미끄러뜨리듯 반복해서 눌렀다. 칙, 칙, 스파크가 튀었다.

"그런데 장롱치고는 아까 운전 잘하던데?"

대호의 질문에 민주가 그제야 고개를 들었다.

"오락실에 있었어요?"

"지나가다가 봤어요."

"그럼 나 게임 하는 것도 봤겠다. 나 운전 잘해요, 실제로도. 막 드리프트 쓰고 부스터도 쓰고 그래요."

"현실에서 그러면 잡혀가요."

민주와 대호가 실실 웃었다.

"안 잡혀요, 나는."

대호는 짧아진 담배의 뜨거운 꽁지를 손가락으로 튕기자마자 바닥에 내던졌다.

"술 마시고 운전한 적은 없죠?"

민주는 대호의 질문에 마른기침을 뱉었다.

"왜요, 음주 운전할 거예요?"

"아뇨."

"뭐야……."

민주는 동공을 이리저리 돌렸다. 라이터 점화 버튼을 그만 미끄러뜨린 후, 입술을 안으로 말아 넣어 침을 바르는 듯했다.

"그러면?"

대호가 손목의 뼈마디를 풀었다. 뚝, 뚝, 손가락의 뼈마디까지 다 풀고는 천천히 입을 뗐다.

"…… 술 마실래요?"

민주는 대호의 제의를 듣자마자 무감한 표정으로 고개를 연신 끄덕이기만 하더니, 힘 빠지는 웃음도 살살 내쉬었다. 대호 또한 따라 웃으며 볼을 긁었다.

"나 술 마셔요. 대신 소주로……. 근데 이쪽 골목 맛없고 비싸요."

"편의점에서 사죠, 뭐."

대호의 흐릿한 마침표와 함께 정적이 흘렀다. 민주는 점화 버튼을 확실히 눌렀다. 착, 소리와 함께 높은 불길이 올라왔다. 대호가 신기한 듯, 자신의 라이터를 꺼내 똑같이 높은 불길을 내보였다. 민주는 맹한 표정의 대호를 보고는 피식 웃었다.

저수지 통행로의 환한 가로등 불로 날벌레 떼가 머리를 박아댔다. 그 너머 마을회관 건물에는 대호의 용달차가 시동 꺼진 상태였다. 멀리서 개 짖는 소리만 들려올 뿐이었다.

2층 현관문의 유리와 개수대 쪽창마다 허여멀겋고 엷은 김이 스며든 상태였다. 금방이라도 쩍하고 달라붙을 것 같은 바닥재에는 남녀의 옷가지들이 비비 꼬여 널브러져 있었다. 민주는 대호와 얇은 요 위에서 냉장고 쪽의 벽을 멍한 눈빛으로 응시했다. 소주를 병째로 들이켠 탓인지, 민주의 얼굴에 홍조가 올라온 상태였다. 민주가 흘러 내려가는 민소매 끈을 올릴 즈음, 대호는 캔맥주 한 모금을 들이켜고 다부진 가슴팍을 긁었다. 피부가 조금 빨개졌다.

"원룸으로 이사 갈 수도 있잖아."

"응."

"되게 불편할 것 같은데? 너만 쓰지도 않으니까."

숨이 섞여 들어간 두 사람의 작은 목소리에 알코올 향료의 단내가 풍겼다. 민주는 민소매의 옆구리 부분을 잡아 브래지어 끈을 추켰다. 상체를 살짝 들어 올렸다 내린 탓에 짧은 탄식이 새어 나왔다.

"어르신들 오실 때 있거든, 가끔? 무슨 회의 같은 거 하실 때. 그때는 그냥 방에 숨어 있어. 아, 아니다…… 밥 차리는 거 도울 때도 있어."

"그니까. 왜 원룸에 안 가냐고."

민주는 들이키던 소주병을 내려놓았다. 눈을 질끈 감아 딸꾹질을 참았다. 이윽고 표정이 서서히 굳어졌다.

"쫓아올 것 같아서."

민주의 명확한 속삭임이었다.

"누가?"

"대호 씨 어릴 때…… 이모랑 이모부랑 사이 어땠어?"

대호는 입가를 닦고는 자세를 고쳐 앉았다. 민주의 입술이 슬슬 벌어졌다.

"기억이 잘 안 나. 그냥…… 나쁘진 않았어."

"그분들이 혹시 대호 씨 때린 적 있어? 슬리퍼로 등짝을 후려친다거나 뜨거운 물을 붓는다거나. 장롱에 가두거나 그런 거……."

대호의 표정이 굳었다. 이내 민주는 숨을 깊이 들이마시고 내쉬었다.

"그 사람 이름은…… 최보은이야. 사람들은 엄마라고 불러. 나는 모르겠지만."

일순간 작고 묵직한 떨림이 목젖을 건드린 듯, 민주는 두꺼운 공기와 침을 단번에 삼켜 내렸다.

"최보은이 나를 그렇게 키웠어. 내가 그렇게 살았고……. 남들도 나처럼 살겠거니 생각했는데, 학교 운동장에서 애들이 엄마 손잡고 집 가는 걸 보니까 그때부터 이상하다 했어. 아닌 거야, 나만. 그냥…… 노름질하다가 깨져서 돌아오면 귀싸대기 다섯 대 이상은 안 맞았으면 좋겠다, 주전자는 고물상에 몰래 던져버릴까, 슬리퍼 밑창을 커터칼로 살짝 잘라 놓을까, 그러면 조금만 아플 테니까…… 먼저 잘못했다고 싹싹 빌면 달라질까, 그것도 아니면 그냥 준비하고 있을까, 이런 생각도."

대호가 알약 크기의 담뱃불 자국이 새겨진 민주의 손목으로 시선을 옮겼다. 민주가 말을 이었다.

"이대로 살다가 죽을 수 있겠다 싶으니까 혼자 버스 타고 강원도를 처음 갔어. 바다 냄새가 짜다는 것도 그때 처음

알았고, 놀이터 모래보다 바다에 있는 모래가 더 부드럽다는 것도. 근데 그게 중요한 건 아니었으니까. 무작정 거기 공중화장실로 숨었는데 끝내 잡히더라. 뒤에서 심부름하는 사람들한테. 진짜 안 잡혔던 적이 한 번도 없어. 산으로 가서 대피소에 숨었는데도 찾고, 마트 주차장 비품실에도 숨었는데 다 잡혔어, 나는."

그러더니 민주는 소주병을 옆으로 밀었다. 적은 양의 소주가 일렁거렸다.

"이제 겨우 살겠다 싶어. 좀 편해진 것 같은데…… 아직도 여기가 아파."

민주는 아랫배 위로 두 손을 포갰다. 자그마한 거스러미가 벗겨진 손가락마다 여진 같은 떨림이 일어났다.

"아려와……. 난소가 차갑게 눌리는 것처럼……. 가위라도 눌리면 그땐 자살하고 싶 -"

대호의 두 팔이 민주의 몸을 감싼 동시에 갈라지는 목소리도 끊겼다. 민주는 눈시울이 붉어졌다. 처음 겪는 피부 마찰인지, 오갈 데 모르는 그녀의 손이 우람한 팔뚝을 살며시 만졌다. 이내 거친 손바닥의 굳은살이 머리카락에 쓸리듯, 대호가 민주의 머리를 쓰다듬었다. 조금 지나서 품속으로부터 키득거리는 소리가 새어 나왔다. 눈가의 얇은 물줄기가 마르고,

민주는 포옹을 풀며 움직이려 했다.

"잠깐만."

민주는 네발로 기어 냉장고에 다다랐다. 반찬통을 죄다 꺼내 깊숙이 손 뻗어 꺼낸 것은 은행에서나 볼 수 있는 봉투 한 장이었다. 꽤 두툼히 잡히는 양이었다.

"이거 뭐게?"

민주는 높이 솟아오른 입꼬리를 내릴 기미가 없었다. 곧이어 벙찐 표정의 대호가 물었다.

"뭔데?"

"비상금."

끝내 얼굴 곳곳에 주름이 잡히더니, 민주는 단전을 끌어당기는 작은 웃음을 연신 토해냈다. 갈빗대가 욱신거려 허리를 숙여도 도무지 끊이지 않았다. 대호도 엷게나마 따라 웃기에 이르렀다. 고개를 든 민주는 손등으로 볼을 누르고는 말했다.

"미친년 걔 아무것도 모를걸. 또 어디 가서 호구 새끼들 삥뜯고 죄다 태우겠지, 씨발. 아, 내가 그 상상만 하면 존나 고소해서……. 그냥 내 배 따고 가져가면 되는데…… 몸 팔면서 병신같이 고생하겠지, 아마……."

도로 허리를 숙인 민주는 호흡을 가다듬으면서까지 마저 웃어냈다. 스읍, 후우, 다 웃었는지, 민주는 긴 숨을 내뱉었는데, 숙인 자세 그대로 멈춰버린 듯했다. 등의 안정적이고 미세한 움직임만 보였다. 그러자 대호가 천천히 다가갔다.

대호가 등을 살살 두드려도 민주는 일어나려 하지 않았다. 민주는 오히려 털썩 넘어졌다. 곤히 잠든 모습이 드러났다. 대호는 민주의 어깨를 토닥토닥 두드렸다. 냉장고의 냉기가 더 스며든 나머지, 대호는 반찬통들을 하나씩 주워 집어넣고, 깔고 앉았던 요를 갠 후, 민주를 들어 올려 작은 방에 조심스레 눕혔다.

민주가 바닥에 안착하자마자 몸을 더 수그렸다. 자궁에 갇힌 태아의 자세였다. 대호는 그런 그녀를 내려다봤다. 엷은 미소가 서서히 사그라들었다.

대호는 방에서 나와 캔맥주를 꿀꺽꿀꺽 다 비워냈다. 캔을 구겨 개수대에 던지고, 앞 머리카락을 뒤로 넘기며 콧김을 뿜었다. 우드득, 소리가 날 만큼 목뼈를 풀었다. 맑기만 하던 그의 눈빛에 냉기가 번졌다.

신형 종합 상가의 지하, 입구서부터 다소 고릿한 방향제 향이 풍겼다. 내부에는 파친코 기계들이 가동 중이었다. 모든 자리마다 놓인 스테인리스 재떨이가 짧은 꽁초들을 적시고 있었다. 보은 또한 다른 손님들처럼 레버를 잡아당겼다. 조잡한 효과음과 동시에 롤러가 돌았다. 셋 다 맞는 경우는 드물었다. 보은의 입술이 일렁거렸다. 때마침 핸드폰 진동이 두번 울렸다. 보은은 레버 잡은 손을 주머니에 넣어 핸드폰을 꺼냈다. 액정을 두드리며 레버를 잡아당겼는데, 롤러가 셋 다 같은 수로 맞춰졌다. 배출구에서 은색 구슬들이 쏟아져 나왔다. 보은은 배출구로 고개를 숙였다. 보은의 주름지고 턱살이 살짝 접힌 얼굴이 은색 구슬마다 반사됐다. 보은은 손 뻗어 바구니 안으로 구슬들을 담고, 자리에서 일어나 데스크 앞에 떡하니 내려놓았다.

"환전."

보은의 매캐한 목소리에 꾸벅 졸던 직원이 흠칫했다. 보은은 직원이 다급히 구슬들을 돈으로 바꿔줄 즈음, 파친코 가게의 명함 한 장을 집었다. 조금 헤진 지갑 안에 명함을 꽂아넣었다.

건물 바깥은 도통 환해질 기미가 없었다. 보은은 핸드백에서 꺼낸 소형 탈취제를 몸 곳곳에 칙칙 뿌렸다. 자스민 향이었다. 눈 감은 채 깊이 들이마시고 내쉬니 차가운 공기도 함께 호흡기 깊숙이 관통했다. 이윽고 실구름이 부유하기를 멈추고, 하늘마저 끄트머리에서부터 서서히 흐려져 갔다. 불어

오는 찬 미풍에 물비린내도 넘실거렸다. 구겨진 종이컵이 바닥을 굴렀다.

저수지에는 아침부터 방갈로가 둥둥 떠다녔다. 낚시꾼이 고요한 수면을 주시할 즈음, 마을회관에서는 민주가 상자에 담긴 쓰레기들을 하나씩 분리배출함으로 던지는 중이었다. 민주는 허리를 당기고 승모근을 여러 번 눌렀다. 전날 밤의 습함이 가시지 않는 모양이었다.

이윽고 멀리서부터 뭔가 굴러오는 소리가 들려왔다. 키 크고 야윈 중년 남자가 유모차를 끌고 마을회관 초입을 통과했다. 새치 여러 가닥이 삐죽 튀어나온 노숙자였다. 아마 목조 팔레트 위의 접힌 상자들을 챙기러 왔겠지, 민주는 익숙한 듯 도로 쓰레기들을 내던졌다. 곧이어 상자를 비우고, 민주는 핸드폰을 꺼냈다. 액정을 두드려 문장 한 줄을 완성했다.

「다음 주 금요일에 만나는 거 괜찮아요?」

대호에게 전송한 문자가 액정 상단에 떴다. 혹여 '1'이 없어지기라도 기다리는 건가, 민주는 동공의 흔들림 없이 문자를 내려다봤다. 그러다 머리카락을 귀 뒤로 넘기며 전화를 걸었다. 그제야 아침 풍경의 이곳저곳을 둘러봤다.

연결음이 지속되면서 시선을 멈춘 곳은 먼발치 방갈로에 앉아있는 낚시꾼 쪽이었다. 마치 자신을 주시하는 느낌인지, 맨다리를 보고자 애쓰는 건지, 민주는 날카로워진 눈매로 쏘아봤다. 이윽고 분명 낚싯대가 움찔하는 게 멀리서도 보였는데, 낚시꾼이 손잡이를 쥐어 올리지 않았다. 퐁당, 오히려 낚싯대가 물속으로 빠졌다. 그런데도 낚시꾼이 가만히 앉아있기만 했다. 일순간, 부악, 하며 찢겨지는 소리에 민주는 급히 노숙자 쪽으로 고개를 틀었다. 노숙자도 테이프 벗겨낸 상자를 담으며 멍하니 낚시꾼을 보고만 있었다. 서서히 눈매가 일자로 굳어버린 민주는 천천히 꺼낸 담배 한 개비를 물었다. 라이터 쥔 손이 조금 묵직해진 것 같았다. 겨우 점화 버튼을 눌러 흐릿한 불을 올렸다. 담배 끄트머리를 지지자마자 제대로 들이마시지 않고 연기를 내뱉었다. 이어 고객님이 전화를 받을 수 없다는 안내음이 들렸다. 민주는 곧장 전화를 끊고, 상자를 버리며 마을회관 현관으로 들어갔다.

민주의 잰걸음이 멀어졌다. 이내 낚시꾼이 방갈로 문을 열고 사라졌다. 노숙자도 접한 상자들을 다 담고는 마을회관 초입을 벗어났다. 주변은 잡초들만 흔들릴 뿐, 고요해졌다.

작은 방 요 위에는 민주의 핸드폰이 충전 잭에 꽂힌 채 덩그러니 있었다. 민주는 무릎 모아 앉아 앞니로 내내 입술을 뜯었다. 아랫입술에 핏방울이 맺혔다. 민주는 검지의 손톱으로 무릎을 찍듯 두드리기 시작했다. 초승달 모양의 자국이 찍히고 사라지길 반복했다. 이윽고 민주는 자리에서 일어났다. 핸드폰을 책상 위에 올리고 창문을 열었다. 가로질러 들어온 햇살 안에 먼지 입자들이 드러났다. 민주는 요를 힘껏 풀썩거렸다. 잔기침이 두어 번 나왔다. 윙윙, 일순간 짧은 진동이 울렸다. 민주는 요를 내던지고 핸드폰을 집었다. 이내 다급한 표정이 금세 식어버렸다. 은행 대출을 홍보하는 문자였기에 그랬다. 민주는 널브러진 요를 걷어찼다. 허리춤에 손 얹어 천창을 올려다봐도 시원해지지 않는 듯, 민주는 맥없이 녹슨 경첩의 장롱을 열었다.

일순간, 핸드폰의 긴 진동이 울렸다. 고개를 휙 돌린 민주는 대호의 이름이 뜬 핸드폰으로 손 뻗어 곧장 귀에 갖다 댔다.

"여보세요?"

대답이 없었다.

"여보세요……? 대호 씨? 여보세요?"

민주의 말이 끝나자마자 매캐한 잔기침이 들렸다. 곳곳 확장됐던 민주의 표정이 슬슬 가라앉았다.

"대호 씨?"

짧은 정적, 상대방이 입을 뗐다.

"간만이다?"

보은의 목소리였다. 민주의 동공이 정신없이 흔들리기 시작했다.

"지 애미 목소리도 다 까먹었네, 이 등신 같은 년."

핸드폰을 쥔 민주의 손이 떨려왔다.

"야, 너 고작 도망친 데가 거기야? 아니, 마주치기 싫으면 배 타고 멀리 뜨던가. 대가리가 예나 지금이나 나쁜 건 여전해, 그렇지?"

"그, 나, 어……."

"뭐라는 거니, 씨발. 말을 똑바로 해야 알아들을 거 아냐. 아가리랑 뱃창지에 기름이 끼셨나. 아, 맞아, 너 그 와중에 외간 남자도 처먹었대? 맛있디?"

보은의 갈라지는 목소리가 홍골을 빠개는 것 같았다. 오금과 무릎마저 좀처럼 고정되지 않았다. 비틀거리다 꼿꼿이 섰으나 콧속으로 쇠 내음이 끼치고, 혓바닥에도 쇠 맛이 감겼다. 없는 감각에 사로잡힌 민주에게 닫힌 숨소리만이 새어 나왔다. 보은의 목소리가 이어졌다.

"너. 너, 이 썩어질 년아. 넌 내가 벼락 맞고 뒈지기라도 했으면 했겠지. 아니야, 아니야……. 몸종으로 부려도 시원찮을 년이 분수 모르고 편하게 살겠다는데, 배아리가 꼬여서 도무지 못 견디겠어. 내 맞을 벼락도 어떻게든 피해야지. 하여튼 너는 이 개년아, 살리더라도 내 손으로 살리고, 보내더라도 내 손으로 보내. 그러니까 지랄 떨지 말고 그 자리 그대로 있—"

민주는 급히 전화를 끊었다. 장롱 안에서 보스턴백을 꺼내자마자 옷가지들을 한 품에 꺼내 쑤셔 박았다. 바람 맞는 나뭇가지처럼 온몸이 떨렸다. 책상 서랍의 잡다한 물건들까지 싹 다 쓸어 담는 걸로 모자라 거실로 나가 냉장고 앞에 멈춰 섰다. 민주는 반찬통들을 내동댕이치며 비상금이 담긴 봉투를 꺼냈다. 자신의 호흡이 내내 가파른 줄도 모르고, 민주는 바닥에 널브러진 외투를 대충 걸친 후, 뚱뚱해진 보스턴백을 들고 현관문을 열어젖혔다.

어깨에 걸린 보스턴백이 민주의 다급한 뜀박질로 덜컹거리며 허리춤을 찔렀다. 민주는 창백히 굳어버린 얼굴로 그저 앞만 봤다. 시야가 흐려져도 아는 길이므로 삐끗하지 않았다. 기관지마저 칼칼해진 나머지 잔기침이 나올 것 같아도 속도를 줄이지 않았다.

저수지 잔교에 묶인 빈 방갈로 한 대, 꺾이는 길 구석에 널브러진 노숙자의 유모차와 상자들이 스쳐 지났다.

민주는 속도를 줄이기 시작했다. 마을 끝자락의 깊고 넓은 굴다리와 가까워졌기에 그랬다. 초입에는 강아지풀이 미풍에 흔들리는 중이었고, 민주가 통과하자 옆으로 넘어지다시피 꺾였다.

민주는 들이마시고 내쉬며 어두운 내부로 나아갔다. 벽과 바닥 전부 벌레와 먼짓덩어리가 있음에도 시야에 들어오지 않을 만큼, 민주는 굳은 종아리와 잰걸음을 애써 유지할 뿐이었다. 이윽고 중간 지점쯤 왔을까, 민주는 멈추는 동시에 보스턴백을 털썩 내려놓았다. 허리 숙여 격한 기침과 함께 질은 침을 뱉었다. 퉤, 퉤, 두어 번 뱉어야만 침이 끊겼다. 맺힌 눈물을 닦아낸 후, 가슴을 쓸어내리고는 보스턴백을 다시 드는 순간, 또각또각…… 멀리서부터 날카로운 구두 소리가 들려왔다.

이내 다리 잡힌 듯, 민주는 맞은편 출입구에서부터 다가오는 익숙한 윤곽을 목도하고 말았다. 입술이 벌어질 세조차 없었다. 또각거리는 소리가 명확히 들릴수록 보은의 모습 또한 서서히 커졌다. 민주는 밀려오는 울먹임을 삼키고 또 삼켰다. 민주가 간신히 왼발 앞축을 조심스레 뒤로 뺄 때, 나른한 표정의 보은이 멈춰 섰다.

"안녕."

민주는 보은의 인사가 귓전으로도 맴돌지 않았다. 들어온 출입구가 그리 멀지 않다며 스스로 속이기를 반복하는 기색이었다. 느릿느릿 뒷걸음질 치는데, 누군가의 넓은 가슴팍과 뒤통수가 부딪치듯 맞닿았다. 민주는 목이 더 뻣뻣해졌다.

"민주 씨."

대호의 목소리였다. 그의 왼손이 민주의 어깨 위로 살며시 올라왔다. 민주는 들썩거림조차 참았다.

"어머님께서 전해달래요."

말이 끝나자마자 민주의 등으로 은색의 칼날이 부드러이 찔러 들어왔다. 민주는 고개가 위로 젖혀지더니, 숨이 안으로 말리며 얼굴마저 달아올랐다. 몇 걸음 비틀거렸는데도 대호에게 옷자락을 잡혔다. 푹, 푹, 푹…… 상체가 아치형으로 휘어버린 민주는 보은의 발 앞에서 맥없이 주저앉았다. 비릿한 미소를 내보인 보은이 느릿느릿 뒤로 물러나고, 출입구에서 낚시꾼과 노숙자가 칼을 꺼내며 들어섰다. 그들은 등과 옆구리를 지혈하는 앙상한 손을 떼어내 복부 곳곳에 칼날을 쑤셨다. 민주는 비명 한 번 못 질렀다. 손가락과 두 다리에 경련이 올 뿐이었다.

긴 담금질이 끝날 즈음, 대호가 보스턴백 지퍼를 열었다. 온갖 잡다한 물건들이 쏟아져 나왔다. 그중, 꼬깃꼬깃한 봉투 다섯 장을 집었다. 보은은 대호에게 봉투를 건네받았다. 민주가 취중에 발설한 비상금이었다. 이내 보은은 죽어가는 딸내미의 멱살을 잡았다. 벽으로 끌고 간 후, 봉투 모서리로 창백한 얼굴을 콕콕 찔러대며 말했다.

"야…… 야……. 그래도 오랜만인데 반갑지 않냐?"

민주는 충혈된 눈으로 보은을 노려보기만 했다. 또르르, 눈물 한 방울이 식어가는 뺨 위로 떨어졌다. 보은은 그 눈물을 보고는 중얼거렸다.

"아닌갑다……."

꿍하며 자리에서 일어난 보은은 출입구로 살살 나아갔다. 대호가 보은을 뒤따라가며 무감한 눈빛으로 민주를 내려다봤다. 민주는 허한 표정이었다. 보은의 또각거리는 소리가 멀어질 즈음, 낚시꾼과 노숙자도 들어온 출입구로 나아갔다. 그들이 완전히 떠나고, 민주는 옷소매를 당겨 복부의 자상들을 더세게 눌렀다. 흐르는 피에 투명한 거품이 맺혔다. 인상을 일그러뜨릴 힘조차 없었다. 등 기댄 벽에도 피가 서서히 번져가고 있었다.

십 분이나마 지났을 무렵, 바닥 여기저기 널브러진 보스턴백과 물건들이 미풍에 감겼다. 민주의 얼굴은 이미 핏기가 없었다. 오한이 온 나머지 어깨와 등이 들썩거렸다. 지혈하던 손들도 서서히 맥이 풀렸다. 두 동공이 내내 위로 솟았다. 눈꺼풀마저 파르르 떨리고, 셔터 닫히듯 내려가기에 이르렀다.

땡, 하고 쇠 부딪치는 소리가 들렸다. 고개 돌린 민주는 바닥에 꼿꼿이 선 오백 원 동전을 봤다. 게임 끝내고 주머니에 넣었던 때 묻은 동전이었다. 민주는 식어가는 와중에도 의아한 표정으로 골똘해졌다. 환각 또는 실제일까, 모호한 민주의 상태에서 그나마 확실하다 할 수 있는 건, 출입구로부터 찬바람이 들어오는데도 쉬이 자빠지지 않는 동전의 모양새였다.

이제 온몸에 힘이 완전히 풀리는지, 복부에 그냥 얹고만 있던 손들도 스르르 떨어졌다. 눈꺼풀도 닫혔다. 민주는 그 자세 그대로 쓰러졌다. 털썩, 흙먼지가 일었다.

벽의 둥근 핏자국이 말라붙은 채로 드러났다. 먼발치에서 민주의 모습이 점처럼 자그마한 크기로 보였다. 이윽고 출입구 너머의 빛이 서서히 검푸른색으로 진해져 갔다.

양 출입구에 경찰차들이 줄지어 주차됐다. 나이 지긋한 주민들 몇몇이 노란색 출입 통제선 바깥에서 서성거렸다. 때마침 과학수사대원이 카메라 플래시를 터뜨릴 때마다 벽의 핏자국이 반짝 드러났다. 하얀 덧신 신은 발들 사이로 꼿꼿이 선 오백 원 동전 또한 그대로였다.

구급차가 좌우로 갈라진 자동차들 사이를 지나갔다. 이런 와중, 구급차 내부에서는 혈액 팩의 투명 호스로 피가 쭈욱 하강했다. 구급대원들의 손이 핏물 젖은 수건들을 바닥 곳곳에 던지듯 내려놓고 있었다. 이케이 모니터로 작은 파형의 바이털 사인이 뜨는데, 점점 일자로 바뀌려 했다.

이내 일정한 바이털 사인의 소리마저 느려지려 했다. 마스크를 썼더라도 구급대원들의 눈가로부터 긴장이 더 밀려왔다. 운전하는 구급대원도 룸미러로 뒤 칸을 힐끗댔다.

민주 손가락의 변색 된 핏자국이 껍데기인 양 뜯어지려 했다. 일순간, 핏자국 껍데기가 일렁거렸다. 아니, 손가락이 꿈틀했던 거였다. 일자로 굳어진 바이털 사인에 아주 작은 파형이 다시 일어나려 했다.

갈라진 길을 지난 구급차는 외곽의 내리막길로 향하며 모습을 감췄다.

열한 살 소녀는 공중화장실 끝 칸에 숨었다. 눅눅한 여름과 달리 선선한 기온 덕에 지저분한 흔적은 없지만, 하얀 양변기 탓인지 칸막이에나마 기대야 했다. 그 여자의 알코올 냄새

보다 나프탈렌 냄새가 났겠거니, 무엇보다 좁다랗다 한들 몸과 마음이 평온하면 그만이었다.

낯설 만큼 심심한데 무엇을 봐야 하나, 소녀는 얼룩 묻은 신발을 내려다봤고, 거스러미 일어난 손가락들을 내려다본 후, 방범창 설치된 쪽창을 올려다봤다. 파도 소리가 살살 밀려왔다. 잡티 없이 매끈한 소녀의 얼굴도 자연스레 경직이 풀리는 듯, 눈꺼풀이 속절없이 스르르 내려갔다. 이내 소녀는 다리를 굽혀 앉았다. 하얘진 흉터가 박인 두 무릎에 얼굴을 얹었다. 눈꺼풀을 애써 들추고자 해도 슬슬 입술이 벌어졌다. 귓전에 감기는 모든 소리가 잠잠해졌다. 소녀는 깨어있음으로부터 물러났다.

해수욕장 입구로 바람막이를 걸친 젊은 남자가 뒷모습을 드러내며 들어섰다. 오른팔 위로 담배 연기가 스멀스멀 올라왔다. 푸우, 그는 맥없이 흰 연기를 뿜었다. 목을 좌우로 꺾고, 엄지와 중지의 뼈마디까지 시원히 풀었다. 구긴 손가락들이 하나씩 펴졌다. 정권 부위에 단단히 박인 굳은살들에도 주름 한 줄이 새겨졌다.

1년 하고도 5개월이 흘렀다. 모든 초봄이 그렇듯, 작년 끄트머리의 찬 바람이 곳곳을 누볐다. 북부 지역 외곽 폐공장 인근의 포장도로도 스산함에 풀썩이므로 예외는 아니었다. 애달픈 비명과 둔기로 후려치는 소리가 점점 가까워지는 것 같았다. 폐공장 현관문의 녹슨 우편함이 삐걱거리는 소리보다 컸다.

잿빛의 내부에는 기다란 먼짓덩어리와 문드러진 전단들로 가득했다. 조금 들이마시기만 해도 입 안이 서걱거릴 것만 같고, 비명과 타격음이 더 명확히 울리는 와중, 구석에 서 있는 젊은 여자가 팔짱 끼우며 바삐 멍 자국을 감췄다. 또한 멍든 목도 만지작거리고, 선글라스를 고쳐 쓰며 주시하는 방향은 내부의 중앙이었다. 결박된 젊은 남자를 건장한 체격의 누군가가 진압봉으로 내려치는 광경이었다.

건장한 남자의 셔츠 뒷면이 더 널따란 모양으로 젖을수록, 바닥과 단단히 고정된 미용실 의자가 덜컹거렸다. 젊은 남자의 왼 손목이 피멍으로 뒤범벅된 걸로 모자라 퉁퉁 부어오른 상태였다. 더구나 핏방울도 맺혔다. 건장한 남자는 후려치길 멈추자마자 진압봉을 던져버린 후, 바로 옆에 있는 철제 책상 위의 빳빳한 이행 각서를 들이밀며 쏘아붙였다.

"야, 야, 야. 너 그다음에는 무릎이야. 너 무릎 한 번 깨지면 진짜 병신 돼. 제대로 못 걷는다고. 근데 왜 씨발 뻐팅기냐, 원래 금방 끝나는 건데?"

"아니, 그, 아닙니다, 아니에요, 죄송합니다."

"개새끼가 사과를 누구한테 해, 지금."

건장한 남자는 이행 각서를 내려놓고 말을 이었다.

"각서 쓸 거야, 말 거야?"

젊은 남자가 다 훌쩍이지도 못 한 채 말했다.

"쓰면요?"

"어?"

"제가 쓰면…… 더 안 때릴 거예요?"

건장한 남자는 땀에 젖은 앞 머리카락을 뒤로 넘기며 피식 웃었다.

"이러는데 마누라는 왜 팬 거야, 씨발놈이……."

젊은 여자가 옅은 한숨을 내쉴 때, 건장한 남자가 갈라진 목소리로 마저 물었다.

"그래서 쓸 거라고?"

"네, 쓸게요, 쓸게요……."

"너 이거 효력 생긴다?"

"네, 네."

건장한 남자는 몸을 틀었다.

"사모님."

불도저 서비스, 사장 백하성, 젊은 여자가 달걀 껍데기로 만들어진 오돌토돌한 명함을 보다 고개를 들었다.

"각서 쓸 거래."

하성의 말이 끝나고, 젊은 여자가 저벅저벅 다가가 미용실 의자 앞에 다다랐다. 하성은 뒤로 물러났다. 선글라스를 벗은 젊은 여자의 표정이 실로 무미건조함의 정점이었다. 그리고 따귀를 후려쳤다. 고개 꺾인 젊은 남자가 애써 눈을 마주하지 않아 보였다. 뭐든 익숙한 듯, 하성은 콧잔등을 닦아내고, 철제 책상 구석에 널브러진 정장 재킷을 걸쳤다.

어느새 흐림과 더불어 물 내음이 진해지고 있었다. 한적한 지방도의 가장자리로 검은 승용차가 다급히 정차했다.

덜컥, 운전석에서 내린 하성이 뒷좌석의 젊은 남자를 끌어내렸다. 젊은 남자의 눈이 안대로 가려졌기에 더 그랬다. 하성과 젊은 남자가 멈춘 곳 너머로 잡초 무성한 맹지와 민둥산이 펼쳐졌다. 하성은 젊은 남자의 뒤통수 가까이에 속삭이듯 말했다.

"나한테서 의뢰가 또 들어온다, 그러면 그땐 존나게 맞는 걸로 안 끝나. 아주 산 채로 썰어서 집 밖에다 내걸라니까…… 오십까지 세고 안대 풀어."

그러자마자 젊은 남자가 숫자를 세기 시작했다. 하성은 천천히 뒤로 나아가 운전석에 몸을 실었다. 시동 걸고 나서도 젊은 남자를 주시했다. 얼마 안 있어 숫자를 절반 정도 읊을 즈음, 하성은 핸들을 돌리며 자리를 떴다.

앞 차창으로 펼쳐지는 풍경은 사방이 온통 널따란 밭떼기일 뿐이었다. 하성은 찡그린 눈으로 전방을 주시했다. 이윽고 여러 대의 신호등과 비보호 점멸등을 거쳐 자그마한 시내로 들어섰다.

골목 초입의 커피숍 통창으로 푹신한 자리에 앉아있는 하성이 보였다. 하성은 잔 손잡이를 들어 커피 한 모금을 축였다. 은은히 올라오는 뜨겁고 하얀 김을 그대로 맞았다. 이미 노곤해진 듯, 그저 검은 커피를 내려다보기만 했다. 일렁이는 기미조차 없는 커피 위로 거칠어지고 늙어가는 얼굴이 떠오른 지 오래였다. 곧 하성은 잔 손잡이를 잡아 천천히 돌렸다. 오로지 손목으로만 살살 돌리다 보니 커피가 넘칠 일은 없었다. 다만 움직임에 따라 커피 위의 얼굴이 길어지고 짧아지며 일그러질 뿐이었다.

윙, 긴 진동이 의자 쿠션의 가죽을 긁었다. 하성은 잔을 내려놓자마자 핸드폰을 들었다.

"어, 준일아."

전화 너머의 목소리가 웅얼웅얼 들렸다.

"동네야…… 손님 성함이 어떻게 되신다는데?"

이름을 듣고 귀신에게 다리라도 잡혔는지, 하성은 그나마 편안했던 표정이 순식간에 굳어버렸다.

하성의 폐공장 푸닥거리 두 시간 전, 북부 지역의 외진 전철역 광장에 쌀쌀한 고요함이 내리깔렸다. 공중화장실 입구의 얼룩들로부터 진한 썩은 내가 진동하는 중이었다. 실로 협소하고 지저분한 공간 구석에는 떡 진 머리카락의 만취자 몇몇만이 누워있었다.

광장 중앙의 화단에 앉아있는 누군가의 모습이 보였다. 그 누군가는 뭘 내려다보고 있었다. 모자를 푹 눌러 쓰고, 마스크를 올려 쓴 데다 두꺼운 점퍼를 입은 모양새, 누군가는 찢겨나간 종이에 적힌 핸드폰 번호를 내려다보고 있었던 거였다. 때마침 교복 차림의 학생 다섯 명이 광장 초입을 진입했다. 칵, 퉤, 좆 같네, 그들이 걸레 씹는 소리를 뱉어대며 가까워질 즈음, 누군가는 자신의 발밑에 굴러들어 온 조약돌이 조금 거슬렸다. 학생 중 한 명이 일부러 다리를 높이 뻗은 게 이유였다. 누군가는 유유히 제 갈 길 가는 그들을 눈 깜박임 하나 없이 서늘히 주시했다.

누군가는 주택가 앞에 들어섰다. 앳된 수다가 점점 선명해졌다. 이내 골목으로 들어간 후, 급히 조용해지더니, 타격음과 비명이 들려왔다.

남학생과 여학생이 전부 쓰러진 상태였다. 바로 앞에 쓰러진 남학생의 주머니에서 핸드폰을 꺼낸 누군가는 액정을 누르자마자 귀 가까이에 갖다 댔다. 곧이어 모자를 벗으며 정수리로부터 뻗은 긴 새치가 드러난 머리를 터니, 민주의 맨얼굴이 드러났다. 연결음은 지속되고, 민주는 앞 머리카락을 뒤로 넘기며 예민한 눈빛을 곳곳에 흩뿌렸다.

그렇다 보니 하성의 사무실 내부에는 불편한 정적이 내리깔릴 수밖에 없었다. 철제 책상 두 개, 응접 테이블, 가죽 소파 세트, 흰 연기를 뿜는 가습기 한 대, 장식용 수석이 자리 잡은 좁다란 곳이므로 더더욱 서늘했다. 출입문 쪽 책상에서 태블릿을 만지는 준일이 마주 앉은 민주와 하성을 힐끔거릴 정도였다.

민주와 하성에겐 서로를 보는 표정에서 경직과 가라앉음이 교차하고 있었다. 아울러 바닥의 콘센트와 연결된 커피포트가 슬슬 끓기도 했다. 이윽고 하성이 입을 열었다.

"서 대리."

뭐라도 기다렸던 기색의 준일이 하성 쪽으로 고개를 돌렸다.

"잠깐 쉬다 와."

"예."

준일이 곧장 태블릿을 접고 출입문 밖으로 나갔다. 이내 하성은 크리스털 재떨이 옆의 담배와 라이터를 느릿느릿 집어 들었다. 굳은살 박인 엄지를 점화 버튼에 슬그머니 올렸다. 민주는 그러거나 말거나 하성을 빤히 보는데, 두 눈을 아래로 내린 하성의 귓전에 서서히 다급한 뜀박질이 들려오기 시작했다.

"그냥 와라."

"안 가!"

성인 남성과 여아의 목소리도 들렸다. 환청이었다.

"좀 오라고!"

"가기 싫어……."

하성은 급히 시선을 돌렸다. 오로지 하성에게만 성인 남성과 여아의 고함과 욕설이 뒤섞여 감길 뿐이었다. 더구나 하성의 약지에 바르르 경련이 일었다. 민주는 그의 약지를 내려다 봤다. 이내 눈꺼풀마저 흔들리는데, 하성은 그걸 모르는 모양 새였다.

민주의 입술이 벌어지려는 찰나, 커피포트가 가열 완료를 알리는 요란한 소리를 냈다. 민주와 하성의 시선이 동시에 커 피포트로 쏠렸다.

이내 하성이 커피포트로 향해 종이컵 두 잔에 차례대로 물 을 부었고, 테이블 위로 커피를 올려놓으며 다시 자리에 앉았 다. 민주도 살짝 떠오른 엉덩이를 소파에 붙였다.

"따지러 온 거면 그냥 가라. 나도 나 살기 바쁘다."

민주는 오랜만에 듣는 하성의 목소리에 답했다.

"그런 거 아닌데. 의뢰하러 온 건데."

민주는 자리에서 일어나자마자 점퍼의 지퍼를 내렸다. 더 나아가 낡은 상의를 조금 올렸다. 칼에 찔린 자국들이 그대로 남은 민주의 복부가 드러났다. 민주가 허리를 틀어 등에도 남 은 칼자국을 보였다. 그럴수록 잔근육들이 당겨졌고, 하성은 놀란 기색을 애써 누르며 민주의 상처들을 멍하니 봤다. 민주 는 옷매무새를 정리하고는 다시 자리에 앉았다.

"아저씨가 나 좀 도와줘. 나도 이제 한계야."

하성은 한계고 자시고 그저 나직이 말했다.

"좀비야?"

"최보은 위치만 나한테 따 주면 나머진 다 할게. 미쳤다고 맨입으로 이러는 거 아니니까 걱정은 마. 그때까진 아저씨 밑에서 시키는 거 할 거야."

이윽고 하성은 슬슬 성난 기색으로 바뀌었다. 조금 떨어뜨렸던 등을 등받이에 붙였다.

"싫다면? 나 업종 바꿨어. 이제 사람 안 찾아."

민주는 막힘없이 답했다.

"일 다 끝나면 팔, 다리, 몸통, 머리, 각막, 피부, 다 아저씨가 잘라서 팔아. 왼쪽 콩팥도. 그건 멀쩡해. 나 지금 돈이 없어. 외상 다는 것처럼 하자고."

"너 원래…… 평소에도 사람을 좆으로 봤었나?"

민주는 고개를 갸웃하고 앞니로 입술을 뜯으며 말했다.

"그게 아니니까 내가 직접 온 거 아니야?"

"야."

하성은 곧장 자세를 고쳤다. 눈이 이글거리기에 이르렀다.

"그나마 착하게 얘기해주는 건데, 살아있는 사람 뒤집어 까면 평생 뒤 밟히다가 입 돌아가. 내가 괜한 소리 하는 것 같냐, 지금? 대뜸 기어 와서 무슨 지랄이야? 그냥 조용히 가. 폭발하기 직전이니까."

뚝, 뚝, 민주는 양쪽 엄지를 움켜쥐어 뼈마디의 공기를 빼냈다.

"그래서 어쩌라고. 내가 서서 죽든 앉아서 죽든 아저씨가 뭔 상관인데? 의뢰받을 거야, 말 거야, 결정해."

"그냥 조용히 가라고."

"좆 까."

"가라 했다."

"두 번 말하게 하지 마, 받아."

하성은 목뼈를 풀었다.

"안 받아."

"돈 싫어하는 미친 새끼가 다 있네."

민주는 말을 끝내자마자 금방이라도 달려들 기세로 몸을 조금 기울였다.

"시끄러우니까 그냥 받아."

"가라."

"받아."

"가."

"받으라고."

"닥치고 그냥 가라고 좀."

어금니 꽉 깨문 하성의 경고일지라도 민주는 쉼 없이 뱉어댔다.

"미안한 거 있으면 지금 갚지 그래?"

"뭐가 미안한데 내가 너한테."

"이쯤 하지?"

"야."

"거래 트자."

"지랄 말고 꺼지라고!"

"이 씨발!"

하성의 고함과 민주의 고함이 겹쳐 울렸다. 민주는 자리에서 일어나 크리스털 재떨이를 던져버렸다. 쨍그랑, 깨지며 사무실에는 다시 서늘함이 찾아왔다. 하성은 산산조각 난 크리스털 재떨이를 뒤돌아 내려다보더니, 거친 호흡과 더불어 살기 어린 기세의 민주를 다시 마주하며 천천히 무릎을 폈다.

"장민주."

민주는 하성을 보고는 눈을 깊이 감았다 떴다.

"손 펴 봐."

의아할 것도 없이, 민주는 하성에게 손등 부분을 내보였다. 거칠어진 피부, 곳곳 하얘진 흉터, 정권 부위의 굳은살들이 하성의 눈에 하나씩 잡혔다. 하성은 민주의 손등과 그녀의 얼굴을 번갈아 봤다.

"손바닥."

민주의 손바닥도 손등과 마찬가지였다. 특히 손바닥의 장저 부위의 굳은살이 날개 펼쳐진 양 단단히 박인 상태였다. 하성은 잠깐이나마 맥이 풀렸는지 옅은 콧김을 뿜어냈다. 그리고 손을 내밀었다. 민주는 의아해졌다. 악수 또는 가위바위보, 이런 순간에서도 장난치려는 건가, 아니면 진심인가, 그러자 하성이 말했다.

"잡아."

민주는 슬슬 힘 들어간 표정이 풀려갔다. 이윽고 두 사람은 손을 잡고 미세 조정하는 기계처럼 느릿느릿 흔들었다.

어느새 사무실로 복귀한 준일이 구석의 옷장을 열었다. 검은색 의류들로부터 염화칼륨 제습제 냄새가 풍겼다. 정장 재킷 한 벌을 집어 든 준일이 민주의 상체 앞에 살며시 갖다 댔다. 재킷의 품이 민주보다 조금 넓었다.

"이거 어때?"

민주는 준일의 질문에 고개를 끄덕이고는 재킷을 받았다.

"부모들 패려면 어깨 각이 여유가 있어야 좋거든. 근데 정장 바지는 허리랑 맞는 게 없어서, 대신 세탁소에 빨간색 츄리닝 바지 하나 있거든? 그건 내가 이따가 줄게. 괜찮죠, 사장님?"

소파 팔걸이에 걸터앉은 하성이 말했다.

"어, 뭐든 입혀라."

"얘 잘 곳은 어떻게 할까요?"

하성이 가리킨 곳은 바로 앞에 있는 비품실이었다. 딱 그 벽만 냉동창고를 제작할 때 쓰는 우레탄 판넬로 덮여있었다. 준일이 열쇠를 쑤셔 문을 열었다. 온갖 둔기와 추적 장치들이 보관된 철제 선반이 있더라도 그리 좁지 않았다. 이에 민주가 나직이 말했다.

"좋다."

별나다는 듯, 하성과 준일이 서로를 쳐다봤다. 민주는 차분해지는 기색으로 곳곳을 살폈다. 그중, 민주의 눈에 들어온 건, 꼬랑지 늘어진 것처럼 검은 테이프가 감긴 알루미늄 방망이의 손잡이였다.

오로지 먼지 밟혀 무딘 걸음 소리만이 들리는 어둠뿐이었다. 이내 척, 하고 스위치가 올라갔다. 구석 쪽 단자함의 준일과 더불어 폐공장 1층의 넓은 내부가 환히 드러났다. 입김이 살살 나오고, 창 너머도 깜깜하니 이미 밤이 깊어진 지 오래였다.

민주는 하성의 손짓에 중앙으로 들어섰다. 하성이 먼저 재킷을 벗어 준일에게 던졌다. 민주도 하성 따라 점퍼와 모자를 벗고 바닥에 대충 던졌다. 두 사람은 저마다 몸을 풀기 시작했다. 목을 젖히고, 손목과 발목을 돌리고, 무릎에 손 올려 차분히 날개뼈를 돌렸다. 더 나아가 민주는 낮은 허공에 끊어치듯 주먹을 내지르기까지 했다.

준일이 천천히 플라스틱 의자를 끌고 앉고, 민주와 하성이 다시 서로를 마주했다. 이내 진공 상태인 양 고요해지고, 민주는 천천히 가드를 올렸다. 하성이 더 확실히 손짓했다. 곧장 달려든 민주는 펀치 여러 방을 뻗었다. 하성은 피하고 또 피하며 민주의 펀치를 잡은 후, 퍽, 소리가 천장을 울릴 만큼 그녀의 얼굴을 때렸다. 민주는 공격을 재개했지만, 하성이 몇 걸음 빠지자마자 허벅지를 걷어찬 탓에 비틀거렸다.

내내 두 사람의 옷소매가 펄럭이고 신발 밑창이 바닥에 쓸렸다. 끝내 민주는 하성에게 걷어차여 멀찍이 밀려나 버렸다. 콜록콜록, 기침 뱉은 민주는 무릎 굽힌 채 제대로 일어날 수 없었다. 하성이 느릿느릿 걸어와 멈췄다.

"앞으로 여기 자주 올 거야. 근무 시작 전이든 후든, 쉬는 날이든 아니든. 너 분명히 얘기했지? 일 끝나면 네 몸땡이 잘라다가 다 파는 걸로? 약속한 거다?"

민주는 입가를 닦으며 일어났다. 같은 말을 한 번 더 들은 양, 조금 짜증이 섞인 채 답했다.

"알았다니까."

"너 싸움은 어디서 배운 거냐? 그냥 길거리 개싸움이 아니네. 직접 받아보니까."

민주는 마저 잔기침을 뱉어낸 후, 허리춤에 손을 얹고 잠잠히 떠올리다가 입을 뗐다.

"노숙하면 배우기 싫어도 배워. 싸움 잘하는 인간들 한 명씩은 있어. 만만하게 나 같은 애라 달려들면 무작정 받아줄 줄 알고……. 그랬어, 하여튼."

하성은 민주의 담담한 답변에 얼굴을 비비듯 긁었다. 민주는 다시 철퍼덕 주저앉아 드러누웠다. 슬레이트로 뒤덮인 녹슨 지붕이 민주의 눈앞에 펼쳐졌다. 이마에 송골송골 맺힌 땀이 바닥으로 흘러내렸다.

비품실의 백열등이 유독 밝았다. 민주는 검은 민소매와 반바지 차림이었다. 매트리스 끄트머리에 앉은 채 맨살을 누르며 쌀쌀함을 다스리던 중, 이내 담요를 걸쳐 맨발로 부드러이 바닥을 착착 밟아나갔다. 차분히 철제 선반 위의 기계들을 훑었고, 곧이어 옷걸이에 걸린 정장 재킷과 빨간색 운동복 바지를 집어 들었다. 다리 옆 부분에 길고 하얀 줄무늬가 새겨진 바지였다. 민주는 운동복 바지를 도로 옷걸이에 걸었다. 정장 재킷을 반 바퀴 돌려 두 팔을 집어넣었다. 어깨의 각과 넉넉한 뒤태가 선명히 드러났다.

민주는 그저 내벽을 노려봤다. 구겨진 흔적 하나 없는 우레탄 재질의 내벽 또는 그 너머, 더 나아가 직접 멱 따는 그날을 앞서보려 했다. 들이마시고 내쉬어 점차 체내의 공기를 냉각했다.

쌀쌀한 변방에서 그나마 사람 사는 동네였다. 벽돌 건물과 타일 건물들이 널린 곳이었다. 몇 걸음 더 나아가면, 차디찬 채소향과 생선 비린내가 실리는 작은 시장이 있었다. 구정물에 뒤덮인 튀김 한 조각이 누군가의 구둣발에 잘근 밟히고, 흰 운동화 신은 또 다른 누군가가 따라가는 모양새였다. 아울러 그 너머의 색바랜 저층 주공아파트들이 자리 잡은 경사로 초입, 검은 정장 차림의 민주와 하성이 거의 다다르려 했다.

오르면 오를수록 중형 마트의 히터 바람이 얼굴에 닿았다. 민주는 눈이 건조해진 터라 반쯤 닫힌 눈꺼풀을 비볐다. 하성이 먼저 평지에 발을 딛자마자 골목 안으로 들어갔다. 이내 민주는 걸음을 멈췄다. 전봇대 아래에 가득 쌓인 종량제 봉투

들이 눈에 밟힌 듯했다. 봉투 밑창이 터진 탓에 역한 오물이 줄줄 흘렀다.

연식이 오래된 저층 연립 단지의 중앙, 민주는 101동 현관 앞에서 사진 네 장을 넋 뺀 채 내려다보고 있었다. 얼굴, 팔, 다리, 등에 멍과 상처가 박힌 여섯 살 전후의 남아, 민주는 이미 잔잔히 굳어버린 얼굴로 하성을 빤히 쳐다봤다. 하성은 익숙한 듯, 담배 연기 여러 모금을 내뿜을 뿐이었다. 이윽고 민주가 사진 네 장을 재킷 안주머니에 넣으려던 차, 하성이 말했다.

"아니야."

민주는 멈칫했다.

"아직 넣지 마."

하성은 말을 끝내고는 현관 안으로 들어가 계단을 올랐다. 민주는 가슴팍에서부터 서서히 살기가 올라왔다.

검은색 라텍스 장갑을 다 끼운 후, 하성은 201호 도어락 커버 위로 손을 올리는데, 이내 멈칫하더니 도로 내려가며 핸드폰을 꺼냈다. 계단 아래서 내내 사진을 보던 민주가 자연스레 옆으로 비켜줬다.

"예, 아버님, 다름이 아니라 지금 집 안에 사모님만 계시는 거죠?"

민주는 하성의 공손한 목소리를 처음 듣는지, 두 손으로 핸드폰을 감싼 그에게 동공을 돌렸다.

"예, 그리고 비밀번호 한 번만…… 알겠습니다, 끝나고 한 번 더 연락드리겠습니다. 예."

민주는 멍든 얼굴이 찍힌 사진을 다시 끝까지 보며 재킷 안주머니에 넣었다. 201호 앞으로 다다르고, 하성은 도어락 커버를 조심스레 잡았다. 턱, 하고 도어락 커버를 젖히자마자 번호를 빨리 눌렀다. 끼익, 두 사람은 신속히 안으로 들어갔는데, 굳은 표정들이 금세 풀려버렸다. 중형 마트 근무복 차림의 여자가 그저 자는 중이라 더더욱 그랬다. 바닥에는 빈 소주병과 뜯겨나간 과자 봉지가 굴러다니기만 했다.

하성은 맥없는 콧김을 뿜었다. 그런데도 끝까지 여자를 주시하며 문을 반만 닫았다. 그와 곧장 눈빛을 주고받은 후, 민주는 흰 라텍스 장갑을 끼며 소파 앞으로 숨죽여 다가갔다. 얼굴 가까이에 멈추고, 민주는 펼친 손바닥을 미간에 조준하고, 하나, 둘…… 셋, 장타를 때렸다.

"아악!"

201호 여자가 소파에서 굴러떨어졌다. 하성이 현관문을 닫으면서 201호 여자가 느릿느릿 일어났다. 눈을 수십 번 껌벅거리다가 부엌 의자에 앉는 하성을 보고, 바로 앞에 있는 살벌한 기세의 민주와 마주했다.

"뭐야······?"

우득, 민주는 목뼈를 옆으로 꺾어 풀었다. 피식, 이윽고
201호 여자가 실소했다.

"너희 이런다고 내가 뭐 닥츠-"

민주는 201호 여자의 말이 완성되기도 전에 주먹을 날렸
다. 201호 여자가 넘어지는 것과 동시에 텔레비전 선반 위의
물건들도 와장창 떨어졌다. 민주는 201호 여자를 일으켜 제
대로 타작을 시작했다. 빠른 속도의 주먹과 발차기가 201호
여자의 몸 곳곳에 격파하듯 꽂혔다. 하성은 차분히 민주를 지
켜봤다.

휘두르고, 넘어지고, 깨지고, 간헐적 기침이 조금 느려질 무
렵, 비틀거리는 201호 여자가 깨진 소주병을 휘둘렀다. 민주
는 객기 어린 움직임을 전부 피해 종아리를 걷어차 따귀를
때렸다. 민주의 관자놀이에 땀방울이 흘렀다. 민주는 코 한
번 훌쩍이고 화장실 바닥의 슬리퍼 한 짝을 집었다. 멍해진
201호 여자의 머리채를 잡자마자 슬리퍼를 휘둘렀다. 손으로
때리는 것보다 소리가 더 컸다. 코피가 화장실 문과 안방 문
지방에 튈 정도였다. 민주도 끝내 숨이 차오른 듯했다. 그러
자 하성이 말했다.

"장 대리."

묵직한 들숨 날숨, 민주는 하성 쪽으로 고개를 돌렸다.

"나가자. 쟤 옷 입혀."

꼴깍, 콜록콜록, 민주는 멱살을 풀고 슬리퍼를 내던지고, 옷 입히기는커녕 멱살을 잡아 밖으로 나갔다. 그 모습에 당황한 기색을 못 감춘 하성이 다급히 민주를 따라 나갔다.

폐공장 1층, 미용실 의자에 결박된 201호 여자가 몸통을 어떻게든 움직이려 했다. 인상까지 찡그려 끙끙거려도 밧줄의 매듭은 쉬이 풀리지 않았다. 민주는 살기를 풀지 않은 상태로 철제 책상에 걸터앉았고, 하성은 진압봉을 만지작거리며 201호 여자의 주변을 서성거렸다.

"장 대리."

민주는 하성의 부름과 손짓에 사진 네 장을 건넸다. 연립 현관에서 내내 봤던 멍든 아이의 사진들이었다. 하성이 201호 여자 앞에 사진들을 내보였다.

"뭘 많이 잘못한 건가? 아줌마 아들."

201호 여자가 피식거렸다.

"맞을 만해서 맞은 거야."

민주는 실이 뚝 끊기듯 멈칫했다. 하성은 개의치 않고 심문을 재개했다.

"맞을 만한 게 뭔데?"

"말하면 알아? 애새끼 낳아서 키운 적 있어? 그거 아니라면 당신네는 몰라. 욱하는 거 겨우 참아도 언젠가는 터지거든. 지나가는 개새끼한테도 물어봐. 다들 이러면서 살아. 그렇게 안 컸어?"

하성은 이마를 긁었다.

"당신 아들처럼은 안 컸지. 피멍들 만큼 매 맞진 않아서 묻는 거야."

201호 여자의 표정에 다시 분이 바짝 올랐다.

"곱게 컸네……."

하성은 혀로 아랫니를 쑤셔 얇은 침을 뱉었다.

"어, 그래, 너는 험하게 컸다……. 너 이행 각서도 안 쓰겠네, 그럼? 다시는 내 새끼 안 때리겠습니다, 이런 거."

"좆 까고 앉았네……. 씨발 풀어, 얼른. 이게 진짜 뭐 하는 거야? 젊은 애까지 데리고 지랄 쌩쇼를 하고 있어."

하성은 실소할 것도 없이 민주의 뒤에 섰다. 살며시 그녀의 손에 진압봉 손잡이를 쥐었다. 민주는 의아한 기색으로 진압봉 손잡이를 쥔 손을 내려다봤다.

"사람 뼈가 이백 개 정도 돼. 그중 하나 으깨는 거야. 얘 왼쪽 손목 있지? 아주 내려쳐."

민주의 두 눈에는 진압봉 머리 부분의 벗겨지고 찌그러진 흔적들이 잡혔다. 하성의 속삭임에도 한 쪽 귀가 멍해진 듯, 민주는 얼굴마저 창백해지려 했다. 하성은 그런 그녀를 보고 다시 한번 나직이 말을 이었다.

"민주야……. 확 부러뜨리라고. 눈에 보이는 가까운 데가 터지고 깨져야 알아……."

민주는 입 안이 마른 나머지 침조차 삼키지 않았다. 하성이 다시 말을 이었다.

"네가 저번에 나더러 맨입으로는 안 하겠다 했지? 네가 최보은을 잡으려면 이걸 넘겨야 할 수 있어……. 그니까 내려쳐. 너는 해."

하성이 철제 책상으로 향해 걸터앉았다. 민주는 하성이 걸어 나가는 소리조차 안 들렸다. 오로지 자신의 떨리는 숨소리만이 귀에 감길 뿐이었다. 그러자 201호 여자가 비릿한 미소를 올렸다.

"왜? 겁 나?"

민주는 201호 여자의 질문 아닌 질문에 창백함이 사그라들었다. 그 옛날, 좁다란 셋방 거실에서 칼을 겨냥했던 어린 여자아이의 얼굴이 떠오르기도 했다.

"왜? 아까 나 후렸던 것처럼 해 봐. 너 몇 살이야? 너 지금
세뇌된 거야, 알아? 어? 너 무섭지? 내 눈에는 그런 거 다
보여. 진짜 무서우면 언니 이것 좀 풀어줘. 이제 그만하자. 너
도 하기 싫잖아, 그렇지?"

찔러보라는 나지막한 음성과 동시에 초췌한 얼굴의 젊은
여자가 민주의 머릿속을 건드렸다. 칼자루 쥔 어린 손과 진압
봉 손잡이를 잡은 지금의 거친 손도 떨렸다. 이윽고 정신마저
아득해지고 눈시울이 더 붉어지기 직전, 민주는 천천히 입을
뗐다.

"입 다물어."

201호 여자가 외려 창백해졌다. 어금니 꽉 깨문 민주는 손
잡이를 다시 질끈 움켜쥐더니, 진압봉을 높이 휘둘러 201호
여자의 왼 손목을 내려쳤다. 콰직, 소리가 천장에까지 울렸다.
201호 여자의 입이 큼지막이 벌어졌다. 아주 가늘고 답답한
비명이 새어 나왔다. 민주는 계속 내려쳤다. 그럴수록 턱 부
근에 힘이 들어갔다. 진압봉이 부엌칼로 변해갔다. 그 어린아
이가 흔들림 하나 없이 젊은 여자의 배를 푸욱 깊이 담그고,
칼을 뽑으며 피부에 핏방울이 튀고, 더불어 201호 여자의 왼
쪽 손목도 멍과 부어오름이 생겨났다. 진압봉과 닿을 때마다

그녀의 왼손이 밟힌 지렁이처럼 꿈틀거렸다. 민주의 머리카락이 휘날리는 걸로 모자라 헝클어지기에 이르렀다.

다 때린 후, 민주는 진압봉을 내던졌다. 들이마시고 내쉬는 호흡이 쌕쌕거릴 만큼 거칠어졌다. 민주의 눈꺼풀이 파르르 떨렸다. 천천히 앞 머리카락을 뒤로 넘겼다. 그러고는 철제 책상 위의 이행 각서를 들고 201호 여자 앞에 섰다.

"각서 쓸 거야, 말 거야."

201호 여자는 숨죽여 울기만 했다.

"쓸 거야, 말 거야!"

단전에서부터 터져 나온 민주의 고함에 201호 여자가 화들짝 들썩였다.

"쓰겠습니다……."

민주는 허리를 펴고 하성과 눈을 마주했다. 하성은 고개를 끄덕였다. 끝내 201호 여자가 오른손으로 펜을 쥐고, 이행 각서 첫 장 마지막 칸에 이름을 적었다. 민주와 하성은 201호 여자가 울먹이든 말든 내려다보기만 했다. 곧 201호 여자가 두 번째 장과 세 번째 장에도 서명을 마쳤다. 민주는 이행 각서를 낚아채 네 번 접어 재킷 안주머니에 넣었다. 하성이 201호 여자를 끌고 밖으로 나갔다.

내부가 조용해졌다. 미용실 의자 주변에는 핏방울뿐 아니라 여러 타액이 묻은 상태였다. 민주는 넋 나간 걸음으로 미용실 의자 가까이에 다다랐다. 핏방울을 밟으니 신발 밑바닥의 자국이 찍혀 났다. 아까보다는 차분해졌으나, 민주는 천천히 무릎 굽혀 앉아 뜨거운 숨을 내쉬었다. 눈앞의 먼짓덩어리가 살살 굴러갔다.

어느새 폐공장 주변이 어두워졌다. 외벽에 걸린 푸른 빛의 포충기가 날벌레들을 감전시켰다. 현관문 앞에서는 담뱃재가 떨어지고 있었다. 노곤한 얼굴의 민주가 먼 곳을 바라보며 담배를 피우는 중이었다. 하성도 담배 한 개비를 꺼냈다. 담배 끄트머리에 라이터 불을 붙였다.

"너 저수지에서 땄던 남자애 번호 있지?"

민주는 두 눈을 내리고 살며시 고개만 돌렸다. 하성이 말을 이었다.

"준일이가 아까 추적 해봤대. 그런데 위치가 중국 어디로 뜨더래. 그니까 최보은 판돈 대주는 호구들 몇몇 족쳐볼 거야. 금방 찾는다. 나는 오래 안 걸려."

"그 인간들도 기억해?"

하성이 한숨과 함께 담배 연기를 내뿜었다.

"왜 몰라, 호구들 집에 숨어 있던 게 엊그제 같네. 어릴 때 도망 다니면서 미친년아, 너 때문에…… 됐다."

민주는 다 피운 담배의 불씨를 손가락으로 튕겨 빼내고, 새 담배 한 개비를 입에 물기 전에 말했다.

"나는 아저씨한테 배운 대로 일하면 되는 거고."

"응. 넌 잘할 거다, 아마."

민주는 한 개비를 담뱃갑에 도로 느릿느릿 집어넣었다. 잘할 거라는 격려 아닌 격려 때문일까, 민주는 두 손을 주머니에 찔렀다. 하성이 그 모습을 보고 물었다.

"왜."

"뭔가 기분이 조금…… 나아져서, 이제."

적응해 나가는 민주의 첫 모습이었으리라, 하성은 머뭇거리다 담뱃재를 채 털지 않고 손을 내려놓았다. 민주의 두 눈에 결기가 차올랐다.

새날의 아침인 양, 불도저 서비스의 큰 통창 너머에 박힌 널따란 하늘이 유난히 맑았다. 창틀과 바닥으로 넘어온 햇살 여러 줄기 또한 불 꺼진 터라 선명하기 그지없었다.

비품실 앞에 선 준일이 문을 두드렸다. 방금 막 출력한 사진들을 단추 봉투 안에 넣었다. 안에서 답이 없자 한 번 더 두드렸다.

"장 대리."

준일이 비품실 문 아래의 개구멍으로 단추 봉투를 넣었다.

"오늘 일감들."

아무 소리도 안 들리는지, 준일이 문 가까이 귀를 갖다 댔다. 얼마 안 가 펄럭임과 더불어 똑, 하고 두드린 소리가 들려왔다. 준일은 자신의 책상으로 향했다.

저층 종합 상가 뒤꼍의 주차장, 민주는 흰색 승용차의 운전석 안에서 단추 봉투를 막 열고 있었다. 저마다 옷핀에 걸린 사진들 다섯 묶음을 조수석에 쏟고, 한 묶음을 펼치니 곳곳 멍들고 찢어진 남아의 모습이 드러났다. 마지막 사진 뒷면에는 주소가 적혀있었다. 전부 경기도 모처의 주공아파트, 빌라, 다가구 주택의 주소들이었다.

사진 묶음 중에선 중학생도 보였다. 얼굴은 멀쩡한데 등과 허벅지에 칼로 그어진 흔적이 있었다. 민주는 그 사진 한 장을 내려놓지 않았다. 아니, 내려놓을 수 없는지, 사진 모서리가 구겨질 만큼 꽉 쥐었다. 민주는 곧바로 차 키를 꽂아 시동을 걸었다. 내비게이션이 작동하자 주소 검색을 눌렀다. 삑삑 삑삑, 주공아파트의 주소가 떴다. 민주는 안전띠를 두르고 핸들을 잡았다. 매서워진 눈빛으로 전방을 주시하며 천천히 액셀러레이터를 밟았다.

핸들을 돌려 주차장 출입구를 나섰다. 텅 빈 도로에 들어서자마자 속도를 냈다.

소녀의 손목에는 케이블 타이가 휘감긴 상태였다. 구형 승용차 뒷좌석에서 횅한 풍경을 노려보기만 했다. 운전석의 남자는 룸미러로 소녀를 힐끗댔다. 빨간불에 차를 세울 즈음, 남자는 오른손 검지에 코를 갖다 댔다. 해수욕장 입구에서 피웠던 담배 탓에 냄새가 밴 모양이었다. 남자는 콘솔박스에서 꺼낸 냄새 제거제를 검지에 뿌리고, 운전석 차창을 조금 열며 말했다.

"어우, 사나워, 미친년······."

나직이 말했더라도 소녀의 귀에 들어왔다. 소녀는 이글거리는 눈빛을 운전석 쪽으로 돌렸다. 남자는 액셀러레이터를 밟았다. 냄새 제거제를 조수석에 던지고 계속 룸미러를 힐끗댔다.

"뭐. 뭘 보는데?"

소녀의 두 눈이 붉어져 갔다. 그 모습도 봐버린 남자는 온갖 짜증이 밀려왔는지, 욕을 뻐끔거리더니 속도를 더 냈다. 쌩, 승용차가 강원도 시내를 빠져나갔다.

끼익, 하성은 사무실로 들어왔다. 준일의 눈인사를 대강 받아주며 자신의 책상에 앉고, 재봉질 된 입술처럼 닫힌 비품실 문을 멍하니 봤다. 준일에게 물었다.

"장 대리 나갔어?"

"예, 나간 지 한 시간? 그 정도 됐습니다."

하성은 준일에게 손짓하며 마저 말했다.

"비품실 들어가면 이천십일 년 주소록 파일 있을 거야, 그 것 좀 갖고 와라."

이윽고 하성은 응접 테이블에서 2011년 파일을 여러 장씩 넘기기 시작했다. 준일도 맞은편에 앉아 파일들을 넘겼다. 끝내 하성은 가까스로 「2011.11.04. 최보은 의뢰인 지인들(호구들)」이라 적힌 장에 멈췄다. 전부 남성의 이름들이었다. 아울러 짤막한 주소와 함께 010으로 시작하는 핸드폰 번호들이 기재된 상태였다.

"찾으셨어요?"

준일이 파일을 내려놓으며 몸을 앞으로 당겼다.

"멀리 안 갔을 거야, 얘네들. 특히 이 새끼."

하성은 나지막한 단언과 함께 첫 줄에 적힌 연락처를 가리켰다.

"준일이 너는 나머지 애들한테 붙어 있어."

"하청 애들 세 명만 붙여도 될까요?"

"안 들키게 하라 그래."

"예."

시간이 흘러, 하성은 승용차 앞좌석에서 차창을 뚫어질 만큼 보는 중이었다. 그런 하성의 눈에 보이는 건, 맞은편 분식집 통창 자리에 앉은 더벅머리 호구가 김치볶음밥을 퍼먹는 모습이었다. 그가 편히 삼키지 않고 계속 핸드폰을 내려다봤다. 하성은 뒤로 젖힌 좌석을 천천히 앞으로 당겼다. 이내 더벅머리 호구가 숟가락을 내려놓더니, 대충 계산하자마자 밖으로 나갔다. 꽤 다급한 걸음으로 사라지려 했다. 하성도 밖으로 나와 멀찍이서부터 쫓기 시작했다.

더벅머리 호구가 무감한 표정의 주민들 사이로 핸드폰을 두드리며 나아갔다. 동시에 하성은 흘깃거리며 맞은편 인도를 걸어 나갔다. 곧 더벅머리 호구가 멈칫했다. 하성은 급제동하듯 몸을 틀어 담뱃갑을 꺼냈다. 살짝 뒤도니 더벅머리 호구가 다시 움직였다. 이내 하성 또한 담뱃갑을 도로 집어넣고는 천천히 나아갔다.

도착한 곳은 재개발 촉구 현수막이 걸린 어느 오래된 아파트 단지였다. 하성은 맞은편 공중 전화박스에 들어가 있었다. 더벅머리 호구가 종합 상가 앞의 ATM에서 서성이다가 전화를 받고, 단지 안으로 더 들어가는 모습이 전개됐다. 곧장 쫓아가니 완전히 다다른 곳은 지하 주차장으로 이어진 계단형 출입구였다. 하성은 멀찍이 떨어진 곳에서 더벅머리 호구가 내려가는 모습을 핸드폰으로 찍은 후, 액정을 두드리며 전화를 걸었다.

"준일이 어디니?"

"여기 남양주요, 도농동."

"이따 중간서 만나. 위치 찍어줄게."

"예, 알겠습니다."

　하성이 전화를 끊고 자리를 벗어나기 약 두 시간 전, 민주는 그가 숨어 있던 아파트 단지에서 멀지 않은 도로를 달리고 있었다.

　민주는 첫 사진 속 남아가 거주하는 주공아파트의 지하 주차장으로 내려갔다. 차체가 덜컹거렸으나 능숙히 핸들을 돌려가며 빈자리에 정차했다. 시동 끄고 내려 계단형 출입구를 올랐다. 환한 바깥으로 다다라 손목뼈를 뚝뚝 풀고, 사뿐사뿐 나아가 활짝 열린 공동 현관을 통과했다. 졸고 있던 경비원

덕에 엘리베이터 버튼도 자연스레 누를 수 있었다. 7, 6, 5, 4…… 민주는 1층에 도착하며 열린 엘리베이터 안으로 들어갔다. 9층을 눌렀다.

엘리베이터가 9층에 도착했다. 문이 열리며 민주가 복도로 나왔다. 민주는 이미 상세 주소도 외운 듯, 의뢰인의 집 현관문 앞에 멈춰 섰다. 윙윙, 핸드폰의 짧은 진동이 두 번 울렸다. 꺼낸 핸드폰 액정에는 문자가 떠오른 상태였다. 오셨으면 지금 들어와 달라는 내용의 문자였다. 민주는 라텍스 장갑을 전부 끼고, 문자 마지막 줄에 적힌 비밀번호를 눌러 안으로 들어갔다. 이미 온갖 박살 나버린 집기가 바닥에 널브러져 있었다. 만취한 민머리 남자가 닫힌 안방 문을 두드리는 건 덤이었다.

"이런 씨발것들아, 안 튀어나와?! 어?! 이젠 씨발 서방 밥도 안 차리고 내빼려고 하네, 아주?"

고성 지르는 민머리 남자에게는 도어락 소리가 안 들린 듯했다. 그래도 민주는 긴장을 늦추지 않고 숨죽여 다가갔다.

"야."

고개 돌린 민머리 남자의 얼굴에 주먹이 꽂혔다. 민주는 비틀거리는 민머리 남자를 거실로 밀었다. 퍽, 퍽, 퍽, 복싱의 타작이 시작됐다. 안방에는 지친 기색의 중년 여자와 열두 살의 남아가 바닥에 앉아있었다. 남아는 이어폰을 꽂고 게임기를 만지는 중이었다. 오직 중년 여자가 벽 너머의 와장창 깨지는 소리를 감상했다. 그리고 민주는 피떡이 됐음에도 깨진 병을 들고 달려드는 민머리 남자를 업어치기로 내리꽂았다. 얼굴을 밟아 기절시키고 옷매무새를 매만질 즈음, 중년 여자가 살금살금 거실로 나와 기절한 몸뚱어리를 내려다봤다. 참으로 건조한 표정이었다.

"그다음은 뭐예요?"

민주는 답했다.

"이행 각서 쓰게 하는 건데요, 추가 요금 붙습니다."

"응…… 혹시 담배 있어요?"

민주는 재킷 안주머니에서 담뱃갑과 라이터를 꺼내 중년 여자에게 건넸다. 중년 여자가 한 개비 꺼내 불을 붙였다.

"그럼 부탁할게요, 계좌로 쏠 테니까."

민주는 고개를 끄덕였다. 무릎 굽혀 앉아 장타로 이마를 내려쳐 민머리 남자를 깨웠다. 곧장 그의 손목에 케이블 타이를 감았다.

"조용히 따라 와."

낮은 음성으로 내뱉은 후, 민주는 위축된 기색의 민머리 남자를 끌고 나가려던 차, 고개 돌려 중년 여자와 다시 얼굴을 마주했다.

"참관하실 수 있는데 어쩌실래요? 참관은 요금 따로 없습니다."

"아뇨, 괜찮습니다."

"예."

민주와 민머리 남자가 자리를 뜨고, 중년 여자가 소파에 털썩 앉아 핏방울 튄 바닥에 담뱃재를 털었다. 저벅저벅, 남아가 거실로 나왔다. 현관을 나가는 민주를 멍하니 보기만 했다. 귀와 가까운 머리 부분에 꿰맨 흔적이 있었다. 그러고는 자신의 엄마에게 고개를 돌렸다.

"이따 청소할 거야."

남아가 느릿느릿 고개를 끄덕였다. 코를 훌쩍이며 도로 안방으로 들어갔다. 치익, 중년 여자가 소파 팔걸이에 담배를 지졌다.

민주의 또 다른 일당백은 한 달 동안 빠짐없이 이어졌다. 곳곳에서 애 때리는 인간들에게 묵직한 주먹과 갈비뼈 으스러지는 발차기를 날렸다. 암만 그들이 덤벼들어도 날렵히 피했다. 다 간파한 채, 머리채를 붙잡아 따귀를 때리고, 허벅지를 걷어차 꿇어앉혔다. 몇몇 인간들은 무릎 꿇고 제발 그만 때리라 빌기도 했다. 민주는 개의치 않고 가슴팍을 걷어찼다.

폐공장에서의 푸닥거리 또한 빼먹지 않았다. 여러 명의 애 아빠와 애 엄마의 왼 손목이 차례대로 으깨졌다. 괴발개발 글씨체와 눈물 자국 묻어난 이행 각서들이 인쇄기에서 뽑히듯 작성됐다. 어느새 흰 라텍스 장갑에는 붉은 피가 흥건히 묻어버렸다. 민주는 라텍스 장갑을 허벅지에 탁탁 때려 털어낼 뿐이었다.

그리고 민머리 남자와의 푸닥거리를 끝냈을 때의 해 질 무렵, 지방도 가장자리로 흰 승용차가 급정차했다. 운전석에서 내린 민주가 뒷좌석 문을 열어 민머리 남자를 끌어내렸다. 민머리 남자가 안대를 찬 터라 비틀거렸다. 민주는 잡초 무성한 맹지와 민둥산이 보이는 곳에 멈춰 섰다. 곧바로 민머리 남자의 뒤통수에 나직이 말했다.

"나한테서 의뢰가 또 들어온다, 그러면 그땐 존나게 맞는 걸로 안 끝나. 아주 산 채로 썰어버리고 집 밖에다 내걸라니까……. 오십까지 세고 안대 풀어."

이 패턴 또한 하성에게 배운 듯, 민주는 민머리 남자가 숫자 세기를 시작하자 뒤로 나아가 운전석에 올랐다. 기온이 쌀쌀한지 민머리 남자가 오들오들 떨었다. 한 스물까지 셌을까, 민주는 핸들을 꺾어 벗어났다. 부웅, 흙먼지가 일었다.

하늘이 완전히 어두워졌다. 옥상 난간 너머로는 이미 간판 불 들어온 가게들이 듬성듬성 보였다. 옆에서부터 뭔가 타닥거리며 거뭇거뭇한 연기가 피어올랐다. 빈 시멘트 통 앞에 서 있는 민주가 라이터 불로 사진들을 한 장씩 그을리고 있었다. 하성에게 받았던 아이들 사진이 차례대로 통 안에 나풀거리며 낙하했다. 사진 속 아이들의 모습이 화르르 에워싸이는 불길에 새까매졌다. 민주의 멍한 동공으로도 타오르는 광경이 작은 크기로 담겼다. 따뜻한 터인지 민주의 볼에 홍조가 올라왔다. 위잉, 핸드폰의 긴 진동이 허벅지를 긁었다. 민주는 전화를 받았다.

"어, 서 대리."

"민주, 우리 사무실 왔는데 어디야?"

"나 옥상이야."

"먼저 왔구나, 엇, 잠깐만."

두꺼운 바람이 부대끼는 소리가 전화 너머로 들려왔다.

"장 대리. 이따 내려와. 다 추렸다."

다 추렸다는 하성의 말에 민주의 눈썹이 조금 솟으려 했다.

"알았어."

"응."

민주는 전화를 끊었다. 널따란 먹구름이 분명 밤임에도 북동쪽에서부터 내리깔려 넘어오기 직전이었다.

　사무실 중앙 테이블 위로 호구들 사진이 한 장씩 올라왔다. 하성과 준일이 탐문 과정에서 찍은 새로운 사진들이었다. 허름한 PC방 앞, 집 앞의 종량제 쓰레기봉투 수거 구역, 분식집과 아파트 단지 지하 주차장 출입구, 성인용품을 판매하는 경상용차 등, 저마다 각기 다른 장소들이었다.

　"다 늙었네."

　민주는 사진들을 내려다보며 말했다. 하성이 덧붙였다.

　"사는 곳도 그대로더라."

　민주의 눈과 고정된 사진은 아파트 단지 지하 주차장 출입구로 들어가려는 더벅머리 호구의 사진 여러 장이었다. 민주는 주저 없이 더벅머리 호구의 사진들을 집었다. 하성과 준일이 다소 놀란 기색이었다.

　"너 뭐 아냐?"

　민주는 질문하는 하성과 눈을 마주하고 되물었다.

　"뭐가."

　이에 준일이 거들었다.

　"실제로 그 인간이 제일 수상했대. 나머지 인간들은 판돈 안 대주는 것 같았고."

"그럼…… 조지자."

민주의 담백한 한마디였다. 벙찐 듯, 하성은 자신의 책상으로 향해 서랍을 열어 라텍스 장갑들을 꺼냈고, 준일은 태블릿을 만지며 비품실로 들어갔다. 민주는 그런 두 사람을 거들떠보지도 않았다. 그나마 준일이 자신의 이름을 부르자 느지막이 비품실로 들어가기만 했다.

하성의 승용차 안, 민주는 유선 이어폰을 꽂은 채 뒷좌석 차창 너머를 주시 중이었다. 아파트 단지 상가 앞의 ATM에서 하성이 담배를 피우고 있었다. 그 ATM 안에서는 더벅머리 호구가 현금 인출이라도 하는 것 같았다. 이윽고 하성이 밖으로 나온 더벅머리 호구를 부르더니, 퍽, 얼굴을 때려 기절시키고 질질 끌어 상가에 들어갔다. 민주는 이어폰을 꾹 눌렀다. 연결되며 서서히 잡음이 잡히기 시작했다.

상가 지하로 더벅머리 호구를 앉힌 하성은 마찬가지로 이어폰을 꾹 눌렀다. 곤히 잠든 더벅머리 호구의 머리를 내려쳤다. 더벅머리 호구가 소스라치며 일어났다. 하성은 라텍스 장갑을 끼고 천천히 무릎 굽혀 앉았다. 더벅머리 호구의 얼굴이 굳어버렸다.

"누구세요?"

"너 최보은 알지?"

"아뇨, 몰라요."

짝, 하성이 따귀를 때렸다.

"여, 여자친구예요, 여자친구."

"잘 아네."

"근데, 그, 저, 어 "

하성은 더벅머리 호구의 주저함마저도 끊어냈다.

"자주 가는 노름판이 어디야?"

"그건, 그건, 저한테 말 안 해주죠."

이내 하성은 손목뼈를 풀었다. 우드득, 소리에 더벅머리 호구가 자세를 고쳐 앉았다.

"판돈 받으러 올 때 누가 오는 거야?"

"계좌로 보내는데요."

"지랄 떨지 말고 이 개새끼야, 다 알고 왔으니까. 젊은 애야, 아니면 꼰대 둘이야?"

더벅머리 호구가 두 눈을 느릿느릿 아래로 내리는데, 하성은 다시 따귀를 때려 조금 더 맑아진 그의 눈을 마주했다.

"아, 한 명이요, 한 명! 젊은 애는 모르고, 그, 몇 살 많아 보이는데, 왜, 그, 낚시하는 아저씨들 많이 입는 조끼 있잖아."

하성은 고개를 갸웃했다.

"한 명 더 올 텐데."

"아니야! 진짜야! 한 명이야!"

하성은 어금니를 꽉 깨물었다.

"한 명 더 올 텐데."

"몰라, 모른다니까!"

고개를 다급히 젓는 더벅머리 호구의 멱살을 잡아 올리더니, 이내 하성은 손을 놓으며 표정을 가다듬고 옷매무새를 만졌다.

"그럼 맞아야겠다."

"아아, 왜 그래요?! 살려줘, 살려줘요!"

더벅머리 호구가 하성의 바짓가랑이를 잡았다. 그러나 하성은 그를 다시 일으켜 곧장 종아리를 걸어 넘어뜨렸다. 아파하는 그의 복부를 무릎으로 눌러 주먹을 뻗으려는 차, 멈칫하고는 자리에서 일어나 이어폰에 손가락을 갖다 댔다. 뒤로 물러난 하성은 문이 열리고 저벅거리는 소리가 들리는 쪽을 올려다봤다. 민주가 이미 내려오고 있었다. 하성이 나직이 말했다.

"괜찮겠나?"

"아니."

민주는 짧은 답변과 더불어 더벅머리 호구 앞에 무릎 굽혀 앉았다.

"아저씨 오랜만이다, 잘 지냈어요?"

거친 호흡이 안정된 더벅머리 호구가 민주의 차분한 얼굴을 제대로 마주했다.

"있잖아요, 아저씨가 나한테 아는 것들을 말해줘야 내가 죽더라도 덜 다쳐요. 최보은이랑 내가 해결할 게 있거든? 갑작스러운 거 아는데…… 다 말해줄 수 있어요?"

하성은 민주를 잠잠한 표정으로 내려다보며 허리춤의 무전기 전원을 껐다. 민주는 더벅머리 호구를 빤히 보기만 했다. 시선을 얻다 둬야 할지 모르는 더벅머리 호구가 끝내 두 손으로 얼굴을 비볐다. 그러자 민주는 아예 라텍스 장갑을 벗어버렸다. 그 모습을 손가락 사이로 본 더벅머리 호구가 다시 얼굴을 드러냈다.

"낚시하는 꼰대는…… 오늘도 왔었어. 오백칠 동 지하 주차장 출입구 계단. 보은 씨가 따낸 돈을 가끔 받거든."

"파지 줍는 노숙자도 오지 않아요? 알잖아, 한 명만 오면 꼬리 잡히는 거."

더벅머리 호구의 떨리는 한숨이 새어 나왔다. 민주는 고개를 숙이더니, 천천히 자리에서 일어나며 말했다.

"가자."

느릿느릿, 민주는 계단을 올랐다. 하성은 그녀의 뒷모습을
빤히 보며 따라 올라갔다. 이윽고 민주와 하성이 상가 현관문
에 다다르는데, 눈빛이 돌아온 더벅머리 호구가 고개를 들었
다.

"민주야."

스윽, 민주가 몸을 틀어 아래를 내려다봤다. 더벅머리 호구
가 말을 이었다.

"잠깐만 얘기할 수 있을까?"

아파트 단지 후문의 편의점 앞에는 민주와 더벅머리 호구
가 일체형 벤치에 앉아 긴밀히 대화 중이었다. 계속 듣고픈
말이 더 있는 듯, 민주는 더벅머리 호구가 캔맥주를 들이켤
때마다 손 뻗어 제지했다. 하성은 두 사람의 모습을 맞은편
도로의 승용차에 기대 바라보고 있었다. 시간이 흘러, 하성의
승용차 앞 차창으로 식당 간판들이 반사돼 지나갔다. 조수석
에 앉은 민주는 멍하니 차창 너머의 바깥에 시선을 고정했다.
핸들 잡은 하성이 그녀를 흘깃댔다.

불도저 서비스 사무실 안에는 유성펜 뚜껑을 연 소리가 먼
저 들렸다. 민주는 펜 뚜껑을 중지로 밀어내고 빈 종이에 주
소를 써 내렸다. 경기도 소도시에 있는 어느 고물상 주소였

다. 하성은 민주에게 받은 쪽지를 들고 핸드폰 액정을 두드렸다. 연결음이 이어졌다.

"준일아, 주소 하나 보낼게. 인근 골목길들 다 마킹해…….
어, 쉬어라."

하성이 전화를 끊었다. 민주는 정장 재킷을 벗으며 자리에서 일어나 비품실로 향했다. 그러던 차, 하성이 말했다.

"야."

끼익, 민주는 문을 반만 열다 하성을 돌아봤다.

"너 만약에 내가 중간에 잠수 타면 어쩔 거냐?"

생각에 잠긴 민주는 마저 목을 긁고 답했다.

"죽여버려야지."

일순간 정적이 일었다. 하성은 뼈가 굳은 것처럼 민주를 빤히 봤다. 얼마 안 가 짜증이 밀려온 나머지 들어가라며 손짓했다. 민주는 의아했어도 문고리를 돌려 안으로 들어갔다. 덜컥, 비품실 문이 닫혔다. 하성은 꺼냈던 담배 한 개비를 살살 구겨 크리스털 재떨이에 던져버렸다.

"아이고, 씨발."

그의 나직한 말 한마디에 한숨도 같이 새어 나왔다.

"뭐?!"

벽력같이 갈라지는 여성의 고함이 좁다란 원룸 내부를 찔렀다.

"그년 죽었다며? 다 봤다며?"

보은은 짧은 슬립 차림이었다. 내놓은 피부의 온갖 흉터와 달궈진 자국마다 주름 한 줄씩 선명히 그어져 있었다. 탄력 없더라도 매끈히 빠진 몸의 선마저 눈에 안 들어올 만큼, 대호가 잔뜩 얼어붙은 상태였다.

"죄송합니다."

뒷짐 진 손에 쥔 핸드폰에 계속 진동이 울렸다. 대호가 전원 버튼을 연타했다. 터치 오류로 핸드폰 액정에 온갖 버벅거림이 드러날 정도였다. 보은은 대호가 움찔할 만큼 창문 닦이는 것처럼 이를 바득바득 갈았다. 그걸로 모자라 구겨지는 손가락을 머리카락 속으로 집어넣었다. 암만 몸을 더 뒤틀어도 부아가 가라앉지 않는 터, 보은은 마저 잘근거리며 일갈했다.

"왜 또 내 기분이 씹창나야 하는 건데? 내가 귀에 딱정이 앉도록 말했잖아. 자기랑 있을 때는 좀 편해지고 싶다고, 맘 놓고 어리광도 부리고 싶다고, 근데 왜, 왜! 그게 어려워? 아니잖아. 근데 나한테 왜 그러는데!"

후우, 대호가 갑갑한 한숨을 내쉬었다. 보은은 그의 한숨을 듣고는 서서히 성난 얼굴이 펴졌다. 늦게나마 정신 차린 듯, 보은은 두 손을 어쩔 줄 몰라 여기저기 멈칫하더니, 입술도 바르르 떨려오자마자 대호를 꼭 끌어안았다.

"어머, 자기야, 미안해, 미안해. 너무 미안해……."

대호의 목을 휘감은 보은의 야윈 팔에 잔근육이 올라왔다.

"있지, 내가 지금 너무 지쳐서 그래. 아, 나 어떡해, 내가 너무 미안해. 진짜 너무 미안해. 나 버리지 마. 내가 잘할게. 다 잘못했어. 진심 아니니까 너무 기죽지 말고, 어? 알았지?"

끝내 보은은 눈시울이 붉어졌다. 혹여 눈물 줄기들이 줄줄 흐를까, 애써 입꼬리와 볼을 당겨 올렸다. 턱의 힘줄이 끊어진다 해도 서러움을 억누르는 기세였다. 대호도 서너 번의 맥없는 토닥임에 금세 녹아버렸다.

원룸 입구 앞에는 시동 걸린 승합차가 덜덜거렸다. 마주 서 있는 보은과 대호 사이에 차디찬 기운만이 감돌았다.

"더 계셔도 괜찮아요. 제가 잘할게요."

아랫입술이 삐죽 나온 보은은 조약돌과 모래를 밟다가 콧김을 내뿜으며 답했다.

"아니야. 나 있으면 불편하잖아. 나도 차가 편해."

"동생들한테 더 알아보라고 하겠습니다."

"아니, 그건 자기가 알아서 할 거니까 잘 알아. 그런 얘기

말고……."

대호가 보은의 말 줄임이 더 이어지기 전에 그녀를 부드러이 끌어안았다. 보은은 대호의 엉덩이로 손 뻗어 주무르고, 남성용 향수가 밴 채취를 들이마시고 내쉬었다.

"나 어떡해……?"

보은의 나직한 목소리에 대호도 귓속말을 건넸다.

"민주 잡아다 죽여서 팔아버릴까요?"

눈을 깊이 감았다 뜬 보은은 앞니로 대호의 옷깃을 질겅질겅 씹었다. 이내 포옹을 풀고는 승합차에 올랐다.

부웅, 보은은 좁은 길을 서행했다. 조금 넓어진 길로 들어서 신호등 앞에 멈춰 섰다. 신호등의 붉은빛이 그녀의 무감한 얼굴에 물들었다.

보은은 고래고래 지르기 한참 전만 해도 아버지 최기석 씨가 묻힌 산소 앞에서 소주를 들이켰다. 멀찍이 떨어져 보좌 중인 대호도 편안한 기색이었다. 이러는 게 한 번이 아닌 모양이었다. 깨진 소주병 조각들이 널브러져 있었다. 삼일장 다 끝낸 후, 상조업체 직원이 맞춰준 저렴한 대리석 묘비가 더는 무섭지 않은 듯, 흥골로 미끄러지는 알코올의 달콤함에 짧은 탄식을 뱉었다. 더구나 내 부친을 닮은 몸종도 죽은 지 꽤 됐겠다, 아래가 저릿할 때마다 물고 빨 수 있는 젊고 튼튼한 남자애도 있겠다, 조만간 방문할 노름판에서 구땡이 뽑힐 것만 같겠다, 그렇기에 얼굴 곳곳이 씰룩거렸다. 이윽고 보은은 다 비워낸 소주병을 묘비 위로 내려쳐 깨뜨렸다.

기분이 아침 다르고 밤 다를 줄 몰랐으리라, 보은은 굳은 기색으로 핸들을 돌려 텅 빈 공영주차장에 다다랐다. 곧장 시동 끄자마자 조수석 콘솔박스를 열었다. 꽉 찬 소주병 하나를 뚜껑 따서 벌컥벌컥 들이켰다. 삼키는 게 힘들었는지 눈을 질끈 감았다. 얼마 안 있어 뚜껑을 닫고, 출렁거리는 소주병을 조수석에 대충 던져버렸다. 그러다 멍하니 앞만 보더니 운전석 천장을 때렸다. 쿵, 쿵, 쿵…… 보은은 점점 더 때리는 강도를 높였다. 정권 부위가 쓸려 벗겨지고, 인상도 일그러져 갔다. 차체마저 쇠 때리는 소리에 맞춰 몸을 띄우는 무당처럼 흔들렸다.

날 밝은 북부의 외곽, 스키드마크가 이리저리 그을린 널따란 공간에는 우렁찬 엔진 소리만이 공기의 전부였다. 폐공장에서 멀지 않은 이 공간은 하성이 불도저 서비스로 재개업하기 한참 전부터 점찍은 곳이었다. 비자금 숨긴 깡패들과 불륜 저지른 이들을 뒷좌석에 태우고 복귀할 때면, 그들이 구토할 때까지 어깨 너머로 익혔던 스턴트 드라이브 기술을 되살렸다. 이전 직장 상사에게 차 청소 좀 제대로 하라는 싫은 소리도 참을 수 있었다.

적어도 사백삼십 마력의 엔진이었다. 회색 승용차가 질주하며 격한 코너링을 구사했다. 차 안에서는 편안한 표정의 하성이 핸들을 완전히 꺾은 상황이었다. 그 탓에 조수석의 민주는 두 손으로 잡은 손잡이가 뜯어질 만큼 인상이 잔뜩 일그러졌다. 하성은 개의치 않고 기어를 변환해 속도를 더 냈다. 매끈하고도 거친 드리프트로 이어졌다. 반 바퀴 돌아 멈추자마자 민주가 내렸다. 간헐적인 기침과 함께 헛구역질도 나온 나머지 질은 침을 뱉었다. 느릿느릿 내린 하성이 못마땅한 기색으로 중얼댔다.

"저거 중간에 일 꼬이면 먼저 죽겠네."

민주는 더 나오려는 헛구역질을 삼켰다.

"정신 안 차려?"

찌릿, 민주는 잔소리하는 하성을 쏘아보고, 힘준 다리를 움직여 하성을 제쳤다. 덜컥, 쿵, 운전석에 오르더니 차창을 내렸다.

"닥치고 타."

"그래야지."

하성은 조수석으로 향해 몸을 실었다. 부웅, 회색 승용차가 다시 움직였다.

운전연습장 뒤켠 또한 하성이 재개업과 함께 오랫동안 사격장으로 사용한 곳이었다. 하성은 총기를 몇 번 다뤄본 터라 탄환 관리가 더 까다롭다는 것도 모르지 않았다. 더구나 이따금 근무복 차림의 경찰들이 순마 타고 와서 시비 거는 게 다반사고, 뒷돈 나가는 경우가 헤아릴 수 없지만, 연습할 때만큼은 잡념과 스트레스를 한 발씩 날렸다.

탕, 때마침 낡은 테이블 위의 유리병 하나가 깨졌다. 하성은 큰 방음 귀마개를 착용한 채, 총구에 진한 연기가 스멀스멀 올라오는 제리코 941을 겨냥하고 있었다. 탕, 탕, 탕, 격발만 하면 다른 유리병들도 산산이 깨져버렸다. 마찬가지로 방음 귀마개를 착용한 민주가 하성의 사격을 보는 중이었다. 탕, 탕, 하성은 나머지 유리병들을 깨뜨리고, 테이블 앞에 걸린 프라이팬과 도마에도 구멍을 뚫었다. 오전의 흐린 하늘 전체가 울리며 탄환이 동나고, 하성은 드럼통 위에 제리코를 올려놓았다. 하성이 방음 귀마개를 걸치듯 벗은 후, 민주는 탄창을 갈아 끼우는 그의 손짓에 앞으로 갔다. 민주의 뒤로 붙은 하성이 조심스레 손잡이를 잡아줬다. 방금 사격한 포인트 옆에 있는 다른 테이블의 유리병들이 민주의 표적이었다. 팔은 눈과 가늠자가 맞추게끔 뻗고, 왼쪽 어깨를 두 번 두드려 미세 조정도 시켰다. 그리고 균형도 맞췄겠다, 오른쪽 어깨를 한 번 두드렸다. 동시에 민주는 긴 호흡을 참았다. 서서히 사격장 너머의 숲에서 잎새들이 바람에 나부꼈다. 사격장 바닥의 잡초들도 일렁이기에 이르렀다. 민주는 날카로워진 눈매로 유리병 하나를 주시했다. 드럼통 위의 잉어 탄환들도 흔들렸다가 중심을 잡았다. 하성이 방음 귀마개를 다시 쓸 즈음, 주변은 더 고요해졌다.

탕! 민주의 격발에 유리병 하나가 깨졌다. 민주는 더 나아가 다른 유리병들도 차례대로 깨뜨렸다. 주로 유리병의 목 부분을 맞췄다. 그중 빗나가기도 했지만, 민주는 곧바로 또 다른 프라이팬을 겨눴다. 탕, 쐈는데, 프라이팬 대신 목조 거치대가 우지끈 으깨졌다. 민주는 천천히 드럼통 위로 총을 내려놓고 방음 귀마개를 벗었다. 화약 연기로 눈이 매워 손부채질한 민주에게 하성이 한마디 던졌다. 민주는 코를 훌쩍이고 눈물을 닦았다.

"썅."

"잘했어, 그래도."

낯선 칭찬이 귀에 감긴 민주가 하성의 옆얼굴을 돌아봤다. 그러든 말든, 하성은 재킷 안주머니에서 꺼낸 큰 지퍼백 두 장을 꺼냈다. 다른 한 장은 민주에게 건넸다.

"단번에 느는 게 어디 있어. 탄피 줍자."

하성이 자신의 사격 포인트로 들어섰다. 챙, 챙, 큰 지퍼백 안에 거뭇거뭇한 탄피들이 담겼다. 얼마 안 있어 하성이 허리를 펴는데, 잰걸음으로 다가간 민주가 엉거주춤하는 그의 등을 뒤에서 사뿐히 잡아주고, 곧바로 자신의 사격 포인트로 향해 탄피를 주웠다. 하성은 마른기침을 뱉었다.

민주와 하성은 사격장 너머의 숲속을 잡초와 나뭇가지 밟아가며 나아갔다. 민주는 선두에 선 하성의 등과 어깨가 유독 넓어 보였는지, 비질한 흔적이 있는 바닥과 그의 뒷모습을 번갈아 보는데, 때마침 나무 위에서는 멧비둘기가 울었다. 독특한 리듬의 울음과 날갯짓이 이어졌다. 더불어 위에서 떨어진 깃털 하나가 하성의 등에 매달리듯 얹어졌다. 정작 하성은 모르는 모양이었다. 민주는 망설임 없이 손 뻗어 깃털을 떼어냈다. 이내 멈칫, 하성은 뒤돌았다. 같이 멈칫한 민주는 쌓아 올린 얼음들이 흔들린 듯, 뻣뻣해진 기색으로 깃털을 내던졌다. 하성은 의아하긴커녕 무덤덤했고, 다시 몸을 틀어 마저 움직였다. 민주는 그와 족히 일곱 걸음 떨어져 쫓아갔다. 사부작 사부작, 민주와 하성이 점만 한 크기로 멀어져갔다.

아침에서 조금 벗어난 시간이라 아스팔트의 그림자가 짙어졌다. 민주가 빈 종이에 주소로 써 내린 소도시의 고물상 앞, 낡은 유모차들이 찬바람 맞으며 세워져 있었다. 끄트머리 유모차에 걸터앉은 노숙자가 커피 우유 홀짝이며 담배를 태웠다. 이내 저벅저벅, 옆에서 다가오는 소리에 고개를 돌리는데, 반듯한 자세의 준일이 멈추며 자연스레 손을 흔들었다. 고개를 갸웃한 노숙자가 커피 우유를 내려놓더니 멍해졌다. 일순간 노숙자의 눈빛이 날카로워졌다. 커피 우유와 담배를 내던져 후다닥 도망갔고, 예상했다는 듯, 준일이 뒤쫓았다.

주택이 밀집된 골목으로 다다른 노숙자가 코너링하듯 쏘다녔고, 멀어진 준일이 슬슬 속도를 줄여 대각선으로 빠진 후, 높은 담장을 밟아 올라 고양이를 넘어 다녔다. 여전히 뛰는 노숙자가 멀찍이서 시야에 잡혔다. 준일이 담장 끄트머리에서 사뿐히 착지하자마자 질주했다. 교차점에서 노숙자와 가까워졌다. 준일이 다리를 뻗어 노숙자의 배를 걷어찼다. 데굴데굴 굴러 뒤로 밀려난 노숙자의 두 팔을 엮었다.

이번에는 더벅머리 호구가 어슬렁거렸던 아파트 단지였다. 입구에 들어선 낚시꾼을 쫓아가니, 오백칠 동으로 향하는 모양인 듯, 뒤를 힐끔거리며 잰걸음을 유지했다. 지하 주차장 출입구 계단에 다다랐는데, 뒤에서부터 달려온 준일이 옆차기를 날렸다. 계단 아래로 떨어진 낚시꾼이 두 팔로 충격을 막은 터라 끙끙 앓기만 했다. 무감한 표정으로 내려다보는 준일이 핸드폰을 꺼냈다.

"다 확보했습니다."

금세 어두워진 폐공장 2층 공실 너머로 타작이 들려왔다. 피부와 피부가 부딪히고, 둔기와 뼈가 부딪쳤다. 민주와 하성이 각각의 공실에서 노숙자와 낚시꾼을 구타하고 있었다. 진압봉 손잡이를 잡은 손에 힘줄이 불끈 솟았다. 작은 땀방울들이 바닥에 후두두 떨어졌다. 노숙자가 아파하며 몸을 움츠리고, 낚시꾼이 애써 웃으며 발길질을 맞았다. 민주는 어금니를 꽉 깨물었다. 넘어진 낚시꾼의 가슴팍에 앉았다. 쥐어 올린 주먹을 그의 얼굴에 내리꽂았다. 뻗으면 뻗을수록 핏방울과 앞니가 민주에게 튀었다. 민주는 아랑곳하지 않았다. 대강 닦아내며 주먹세례를 이어갔다. 그리고 어느새 낚시꾼의 피가 꾸덕꾸덕해질 때, 민주는 굽힌 무릎을 폈다. 김 올라오는 하얀 오른손이 수전증에 걸린 것처럼 떨렸다. 치아 드러난 야윈 미소에 어린 시절의 가해자가 실린 줄도 모른 채, 서서히 벗겨지는 음영 속에서 더 깊어져 갔다.

하성은 민주가 있던 공실의 문을 열었다. 다 죽어가는 낚시꾼이 화들짝 놀랐다. 욕 한마디 지껄이기도 귀찮았는지, 하성은 내내 끌고 온 의자에 묶인 노숙자를 안으로 집어넣었다.

1층의 더블 소파에는 민주와 하성이 나란히 앉아 담배 연기를 뿜고 있었다. 두 사람 다 반쯤 널브러진 자세였다. 기다란 담뱃재를 털어낸 민주가 먼저 입을 열었다.

"주로 가는 노름판은?"

하성이 답했다.

"광명이랑 안산 쪽 비닐하우스나 유통창고. 그 남자애 위치랑 최보은 거주지는?"

"걔는 최보은 전속 보디가드. 걔 위치는 모르고. 최보은은 거주지가 없대. 그냥 차에서 먹고 잔대. 똑같이 대답했어?"

하성은 마지막 한 모금을 뱉으며 담배를 바닥에 비벼 껐다.

"응. 그리고 최보은 차 넘버는 칠십이 마, 오삼팔구, 이것도 똑같이 말했어?"

민주는 벌어진 입 밖으로 담배 연기를 새어 나오게끔 뒀다. 그럴 새도 없이 이미 눈빛이 서늘해졌기에, 하성은 그런 기세의 그녀를 보고 의아함 대신 냉기가 일었다. 길지도 짧지도 않은 정적 후, 민주가 말했다.

"육칠오하나 아니야?"

"…… 뭐?"

민주는 다시 고개를 앞으로 돌렸다. 피우던 담배를 바닥에 내리꽂고, 철제 책상으로 향해 밑에서 공구 상자를 꺼냈다. 전동 드릴과 십자 비트가 드러났다. 조립한 민주는 곧장 계단을 올랐다. 하성이 엉거주춤 일어났다.

"장 대리. 민주야."

민주는 하성이 부르는 소리를 들은 척도 않았다. 어느새 2층에 오른 민주는 노숙자와 낚시꾼이 갇힌 공실 앞에 도착하기 직전이었다. 간신히 뒤쫓아 온 하성이 민주의 옷자락을 잡았다.

"왜 이래."

민주는 하성의 팔을 뿌리쳐 복부를 때렸다. 하성이 맞은 부위를 잡으며 넘어졌다. 공실 문이 열렸다 닫히는 걸로 모자라 잠기는 순간마저 금방이었다. 막 일어나 달려든 하성은 문고리를 연신 비틀었다.

"야, 야! 장민주! 열어. 빨리 열어. 열라고, 이 새끼야!"

아무리 하성이 두드리고 소리 질러도 전동 드릴 돌아가는 소리를 끊어낼 수 없었다. 이윽고 겁에 질린 성인 남성들의 흉골과 살이 뚫리는 상황, 더 나아가 진득한 피가 솟구치고 십자 비트가 헛돌아 챙그랑 떨어지는 상황 또한 하성의 식은 땀을 등줄기로 미끄러뜨렸다. 곧 하성이 뒤로 빠졌다. 녹슨 문이 열렸다. 상의와 하의, 신발과 손, 얼굴에 검붉은 핏방울이 튄 민주가 넋 나간 표정으로 하성과 마주했다. 민주는 왼손으로 얼굴을 비비며 전동 드릴을 떨어뜨렸다. 그러고 나서 천천히 입을 뗐다.

"아저씨 말이 맞네, 칠십이 마 오삼팔 –"

짝, 하성은 민주의 따귀를 내려쳤다. 비틀거리다가 중심을 잡은 민주의 두 눈이 금세 붉어졌다. 얼굴에 힘줄이 선명해진 하성은 소리를 버럭 질렀다.

"뭐 하는 거야!"

민주는 대꾸 하나 없었다. 하성은 되물었다.

"미친년인 거 지금 티 내고 앉았냐?"

"쟤네가 먼저 구라쳤잖아. 나한테는 육칠오하나…… 시발 왜 때려, 나를? 왜 그러는데……?"

온갖 복잡함이 둔기가 되어 후두부를 강타한 듯, 하성은 두 어깨가 처진 나머지 두 다리까지 굽혔다. 민주는 그가 그러든 말든 터덜터덜 걸어 나갔다. 나아가는 방향으로 피 묻은 발자국이 하나씩 찍혔다. 하성은 그 발자국들을 내려다보다가 시선을 옮겼다. 공실 문지방으로 검붉은 핏물이 넘쳐흐르는 작은 광경이었다. 하성의 눈꺼풀이 파르르 떨렸다. 마른세수와 건조한 한숨만이 전부였다.

아침이 밝아왔다. 준일이 폐공장 1층에서 냉장고 안에 삐죽 튀어나온 노숙자와 낚시꾼의 다리를 마저 집어넣었다. 겨우 냉장고 문을 닫은 준일이 태블릿을 펼치며 밖으로 나왔다. 무릎 굽혀 앉은 하성이 깊이 처진 얼굴로 담배를 피우고 있었다. 준일이 태블릿을 두드리며 말했다.

"하청 애들 다섯 명 돌려서 보고 받고 있고요. 최보은은 동선이 주로 거의 뭐, 국도 졸음 쉼터나 서울 남부에 있는 공영주차장이네요. 관악이랑 영등포 있잖아요. 아, 그, 안산이랑 광명도 간답니다. 거기가 노름판인 것 같습니다."

내내 듣던 하성은 바닥에 담배를 지지며 일어났다.

"준일아."

"예, 여기 있습니다. 말씀하십시오."

"너는…… 초년 때 저러진 않았어, 그렇지?"

준일이 폐공장의 냉장고를 힐끗대고 답했다.

"예, 뭐, 옆에서 보기야 봤지, 그렇죠. 안 저랬죠, 저는. 저것들 보니까 아주 그냥 벌집인데 어제 왜 그런 거예요, 민주? 어제 또 싸우신 거예요, 아니면 걔가 갑자기 그런 거예요?

"싸운 건 아니야. 그냥 모르겠다, 난. 좀…… 몰라."

하성은 더 말하기를 꺼리는 기색이었다. 그 모습에 준일이 태블릿을 마저 두드렸다.

"어, 붙었다. 사장님, 최보은 캐치 됐습니다."

태블릿 화면에는 건물 한 채 없는 광명 구석진 곳의 지도가 먼저 떴다. 하청 인원 중 한 명이 보은의 승합차 바닥에 위치 추적기를 붙인 까닭이었다. 하성은 다급히 태블릿을 잡고, 준일이 진동 울리는 핸드폰을 꺼냈다.

"어, 말해……. 알아, 방금 확인……. 오케이, 가서 쉬어라. 나머지 애들한테도 전달하고…… 응."

얼굴을 힐끔 내민 하성은 지도의 붉은 아이콘을 보고 눈썹이 일렁이자 미간을 꾹 눌렀다.

"민주한테 아직 보내지 마."

"아, 예, 알겠습니다."

"애는?"

"민주 걔 나갔어요, 사우나 가냐고 했더니 그건 또 아니래요."

"그렇구나…….

하성은 깊이 들이마시고 내쉬었다. 준일에게 태블릿을 건네며 구겨진 담배 한 개비를 또 꺼내는데, 기름이 얼마 남지 않은 부싯돌 라이터의 모습이 드러났다. 하성은 아랫입술을 잘근잘근 씹더니, 얼마 안 가 라이터를 멀리 던졌다. 준일이 화들짝 놀랐다.

"아니다, 그냥 민주한테 알려줘라……. 얼른 끝내자."

말을 마친 하성의 창백한 얼굴에 드디어 핏기가 돌았다. 아침 해가 얼굴의 주름과 흉터를 다 비출 만큼 서서히 중천으로 올라왔다.

열다섯 살의 소녀는 사람 붐비는 서울역 대합실을 여기저기 쏘다녔다. 잰걸음이 자연스레 뜀박질로 바뀌었다. 한때 해수욕장에서 소녀를 데려갔던 남자가 전방 주시와 더불어 어떠한 부딪힘 없이 추적하기에 그랬다.

소녀는 무궁화호에 몸을 실어야 했다. 승강장으로 향하는 문을 겨우 통과했다. 닫히려는 엘리베이터로 쏜살같이 달려들었다. 느린 속도로 하강하는 엘리베이터 안의 어른들이 하나같이 소녀를 내려다봤다. 다 헐떡인 소녀는 그제야 시선들을 마주했다. 고개가 절로 무거워졌다.

엘리베이터 문이 열리자마자 한 걸음만 내디디면 되는데, 소녀의 앞에는 남자가 서 있었다. 몸이 굳어버린 소녀는 열림 버튼을 꾹 누르고 나오지 않았다. 호랑이가 지나가길 기다리는 사슴의 눈으로 직면할 뿐이었다. 무겁고도 긴 정적이 내리깔렸다. 정차 중이었던 무궁화호가 출발하고 말았다. 그리고 남자가 말했다.

"와라."

소녀는 남자의 건조한 한마디에 바로 답했다.

"안 가."

"오라고."

"씨발, 안 간다고."

소녀의 두 눈이 붉어지며 입술마저 바르르 일렁이고 말았다. 남자는 흔들림을 참는 기색으로 눈을 깊이 감았다 떴다.

"좀 오라고!"

남자의 벽력같은 고함에 소녀의 왼쪽 눈에 눈물 한 방울이 떨어졌다. 소녀는 말했다.

"가기 싫어……."

남자는 더는 말을 이을 수 없는지, 입술이 연신 벌어지기만 할 뿐이었다. 고함 직후 목구멍이 부어오르기라도 한 걸까, 뭉쳐진 침을 삼켜 내렸다.

소녀는 그런 와중에도 바로 앞에 있는 계단이 눈에 잡혔고, 시선의 움직임을 감지한 남자가 한 걸음 뒤로 빠지는 순간, 무거워진 오른쪽 다리를 먼저 뻗고서 내달렸다. 엘리베이터의

거울로 소녀와 남자가 가까워지듯 충돌하려는 모습이 반사됐
다. 쿵, 문이 닫혔다.

할아버지 최기석 씨의 산소 주변에는 보은의 과격한 찌꺼기가 남아있었다. 해봐야 소주병의 깨진 조각들이었지만, 끙끙 앓는 노쇠한 신음이 엊그제처럼 들리는 듯, 민주는 차분히 뚜껑을 돌려 따며 산소의 둥근 부분에 소주를 부었다. 알코올 냄새가 콧속을 쑤셨다. 방울마저 탈탈 털어버린 후, 대리석 묘비에 선 민주는 입 막혀 웅얼거리는 소리에 고개를 돌렸다. 201호 여자가 결박당한 채로 널브러져 있었다. 우중충한 눈빛이 서릿발 날리는 것처럼 물들었을 때, 민주는 빈 소주병의 목 부분을 꽉 움켜쥐었다. 그리고 챙그랑, 묘비 위로 소주병을 내려쳐 깨뜨렸다.

장지에서 멀지 않은 야산의 평지, 민주는 201호 여자를 질질 끌어 두꺼운 나무 앞에 다다랐다. 201호 여자를 일으킨 민주는 내내 들고 온 밧줄을 그녀의 몸통에 묶었다. 그럴수록 201호 여자가 겁에 질린 신음이라도 토하고 싶은 모양이었다. 매듭도 다 묶은 민주는 그녀의 귀에 손가락을 튕겨 묵언을 유도했다. 이내 한 걸음, 두 걸음, 세 걸음, 네 걸음, 뒤로 걸어가 멈춘 후, 민주는 재킷 안 홀스터에서 제리코 941이 아닌 다른 권총 한 자루를 꺼냈다. 201호 여자를 향해 권총을 겨누며 엄지로 공이를 내리고, 팔을 들어 눈과 가늠자의 위치를 맞췄다. 201호 여자의 얼굴이 창백해지든 말든 알 바 없었다. 울음 섞인 비명이 답답히 터져도 한 쪽 귀로 흘리면 그만이었다.

스산한 정적만이 내리깔릴 때, 이미 오른쪽 눈과 가늠자의 위치를 맞춘 민주는 왼쪽 눈을 감으며 긴 호흡을 삼켰다. 철컥, 핑, 콰직, 201호 여자의 좌상복부에 붉은 페인트 탄이 터졌다. 얼마 안 있어 비명도 채 못 질렀는데 좌흉부에 마저 페인트 탄이 명중했다. 뜨겁고 아픈 느낌이 안 드는지 201호 여자가 감았던 눈을 지그시 떴다. 모조 총을 도로 집어넣은 민주는 못마땅한 표정으로 고개를 갸웃했다. 곧이어 나무 뒤로 느릿느릿 향해 밧줄을 끊어낸 후, 201호 여자의 얼굴을 때려 기절시켰다. 그녀를 들어 올릴 차, 민주는 허벅지를 긁는 핸드폰을 꺼내는데, 준일이 보낸 문자에 동공이 확장됐다.

「민주야 최보은 위치 픽스남 광명 유통창고에서 추적기 부착함 사장님 운전연습장에 계시니까 거기로 ㄱㄱ」

약 이십 분 후, 민주는 애 때리는 인간들을 겁박하는 지방도 가장자리에 급정차했다. 뒷좌석 문을 열어젖혀 201호 여자를 끄집어내자마자 안대를 벗겨내고 발로 걷어차 버렸다.

어떤 불호령조차 없는데도 201호 여자가 헐레벌떡 민둥산 방향으로 내달렸다. 민주는 201호 여자의 크기가 멀어지듯 작아지는 것까지 주시하고, 운전석에 몸을 싣자마자 핸들을 꺾어 급히 달렸다.

어느새 쾌속의 회색 승용차가 운전연습장을 라운딩 중이었다. 운전석의 민주는 동요 하나 없이 핸들을 잡고 전방만을 주시했다. 엔진 소리가 서서히 커질 즈음, 민주는 사이드브레이크를 당겨 핸들을 더 꺾으며 기어 변환도 해냈다. 동시에 차체가 반 바퀴 돌아 후진 주행을 이어갔다. 그럴수록 조수석의 하성이 오히려 천장 손잡이를 꽉 잡고 안 놓았다. 끼익, 민주는 차체를 다시 반 바퀴 돌려 급정거했다. 겨우 손잡이를 놓은 하성은 양 손목을 뚝뚝 풀고 고개를 끄덕였다.

"합격."

사격장에는 빈 유리병들과 프라이팬이 새로 깔려있었다. 제리코 941에도 꽉 찬 탄창이 삽입됐다. 민주는 제리코 941을 앞으로 겨누며 눈과 가늠자 위치를 조정했다. 야산에서의 연습을 떠올리는 듯, 검지를 방아쇠에 얹기만 하고 까딱거리지 않았다. 옆에 서 있는 하성이 방음 귀마개를 천천히 올려 썼다. 이내 깊이 들이마시고, 민주는 격발했다. 탕, 이전보다 정확히 뻗어나간 탄환들에 유리병이 하나씩 깨져갔다. 곧 민주는 프라이팬을 겨눴다. 다섯 발의 뜨거운 탄환이 프라이팬의 손잡이를 뚫어내고, 화약 연기 사이로 민주의 고요한 얼굴이 빗겨 드러났다. 제리코 941을 내려놓은 민주가 손바닥에 숨을 뱉으며 화약 가루를 털어낼 때, 방음 귀마개를 벗은 하성이 헝클어진 앞 머리카락을 뒤로 넘겼다.

"이것도 합격."

폐공장 천장으로까지 소매의 펄럭임과 바람이 갈리는 소리가 올라왔다. 민주는 하성의 주먹들을 너끈히 피하고 있었다. 얼굴 가까이 뻗치는 주먹을 막아 뿌리치고, 가드를 내세운 하성에게 콤비네이션을 전개했다. 이걸로도 모자라 조금 더 넓은 보폭으로 그를 몰아붙이고, 오른쪽 옆구리를 때리며 허벅지를 걷어차 넘어뜨렸다. 곧장 하성의 멱살을 붙잡아 팔을 높이 뻗으려는 차, 멈칫한 민주는 가슴까지 차오른 거친 숨을 내쉬기만 했다.

"전부 합격……."

민주는 결과를 나직이 통보하는 하성의 멱살을 풀었다. 셔츠 깃의 구겨진 흔적을 털어낸 하성은 무릎 굽혀 앉아 코를 훌쩍이며 땀을 닦았다. 멍하니 그를 내려다보더니, 민주는 오른손을 느릿느릿 뻗었다. 그녀의 손과 얼굴을 슬며시 본 하성은 의아하고도 낯선 감정을 여실히 드러냈다. 민주의 급한 고갯짓에 그래도 손을 맞잡았다. 민주는 하성이 일어나고 나서 몇 걸음 떨어져 어깨를 풀었다. 그저 두 사람의 저벅거림만이 내리깔렸다.

　밤이 깊어지고, 불도저 서비스 사무실의 응접 테이블 위로 일회용 용기들이 올라왔다. 하성이 비닐을 잘라 수북이 쌓인 곱창과 막창의 하얀 김을 빼냈다. 밑반찬 용기들과 소스 용기의 뚜껑도 벗겨낸 후, 나무젓가락까지 뜯고 나서 소주 세 병을 마저 올려놓았다. 민주는 위치 추적 단말기 화면의 붉은 아이콘을 쏘아 보고만 있었다. 소주를 든 하성이 손가락을 튕긴 덕에 유리컵을 들어 올렸다. 투명한 소주가 유리컵에 가득 차고, 민주도 하성의 컵에 가득 따르더니, 건배의 의미로 컵을 뻗은 그를 보지도 않고 벌컥벌컥 들이켰다. 더구나 그녀가 곱창과 막창을 마구 집어 먹어 무안한 듯, 하성은 안 들리는 실소와 함께 한 잔 넘겼다. 내내 민주는 뭉쳐진 곱창과 막창을 삼키고 소주를 들이켜길 반복했다. 하성은 입력된 정보대로 착착 움직이는 그녀의 모습에 천천히 젓가락을 내려놓았다.

　이윽고 시계의 초침이 소리 없이 여러 바퀴를 돌고, 우걱거림도 잦아들기에 이르렀을 때, 텅 빈 일회용 용기들과 소주병들이 테이블 구석에 몰려있었다. 아울러 크리스털 재떨이에는 짤막해진 담배꽁초 여러 개가 수북이 쌓인 채 젖어갔다. 민주와 하성 둘 다 붉어진 얼굴이었다. 살짝 벌어진 민주의 입술로 엷은 연기가 새어 나왔다. 담뱃재를 턴 하성이 민주를 지그시 봤다.

"너 그거 알아?"

민주는 하성에게 동공을 돌렸다.

"너 오고 나서 이 동네 골목마다 애들 우는 소리가 안 들려. 소문이 알음알음 퍼졌나 봐."

민주는 마지막 한 모금을 내뿜고 크리스털 재떨이에 담배를 지졌다.

"배운 대로 한 거야, 나는."

"다는 아니던데, 너. 하여튼…… 그래."

"나 물어볼 거 있어."

"물어봐."

민주는 새 담배를 꺼내며 말했다.

"업종은 왜 바꿨어?"

하성은 안 들렸는지 되물었다.

"미안, 뭐라고?"

"업종. 왜 바꾼 건지 궁금해서."

민주의 질문에 골똘해진 듯, 하성은 눈을 내리깔고 피우던 담배를 크리스털 재떨이에 조심스레 얹었다. 그가 손으로 턱선을 매만질 즈음, 민주는 새 담배에 라이터 불을 지폈다.

"그냥, 뭐, 사람 찾는 의뢰는 다른 회사들이 받으니까……. 경쟁에서 밀리면 박해지니까 내 딴에는 돈 벌리는 아이템이 필요했던 거지, 다른 건 없어."

느릿느릿 나온 그의 답변에 민주는 그저 고개를 끄덕일 뿐이었다.

"뭐야."

하성의 질문에 민주가 멍해진 기운을 깨웠다.

"어?"

"뭐?"

두 사람은 짧은 되묻기를 나누다가 각자 다른 곳을 빤히 쳐다봤다. 이윽고 민주는 크리스털 재떨이에 얹었던 담배를 마저 피우는 하성을 보며 다시 입을 뗐다.

"저수지에 박혀 있을 때, 내가 제일 무서워했던 게 그거였거든. 아, 차라리 최보은이 그냥 내 앞에서 나타나는 게 나으려나, 아주 피떡이 되더라도……. 어디 있는지를 모르니까 그게 더 불안했어. 그게 아주 인이 밴 거야. 그 미친년한테 밤

낮없이 얻어맞는 것도 습관이 돼. 오죽하면 지나가는 사람 붙
잡아서 시비 걸어 볼까, 성에 안 차면 빨랫방망이로 허벅지라
도 때릴까, 했는데…… 그래도 불안한 건 똑같더라."

하성은 들었던 유리컵을 내려놓으며 옆으로 밀었다. 민주는
말을 이었다.

"내가 사진으로만 봤던 애들도 혹시나 나처럼 생각할까 모
르겠어. 맞기라도 해야 안 쫓겨나니까. 그냥 눈 감고 샌드백
하면 어쨌든 아침에 눈이 떠지긴 하니까……. 그래서 더 화
나. 키 클 때까지 아직 멀어서……."

민주의 작아진 음성과 더불어 하성은 물 한 모금을 축였다.
담담한 넋두리를 처음 들었음에도 슬슬 시선을 맞췄다. 그런
그를 빤히 보는 민주 또한 이전보다 조금 편해진 기색이었다.

"나랑 일 끝나고도 계속 부모들 팰 거야?"

"그렇지, 먹고 살려면."

민주는 망설이다가 마저 말했다.

"그러면…… 가기 전에 노잣돈도 찔러줄 거야?"

긴 생각을 다 마친 듯, 하성은 상체를 기울였다.

"너 혹시 지금이라도…… 계약 조건 바꿀래?"

토씨 하나 안 빼고 들은 그의 제안이었다. 엷은 미소가 올
라올 것만 같았던 민주에게 자그마한 흐름이 일렁이려 했다.

하성은 몸마저 굳은 그녀를 감지하고 더 또박또박 이어 나갔다.

"최보은 건은 당일에 하청 애들한테 시키고, 넌 늘어지게 자다가 일어나는 거야. 아마 세 시쯤 다 끝날 텐데, 그러면 나나 준일이가 알려줘. 그리고 돈을 나만 벌겠냐? 준일이랑 너한테 떨어지는 것도 더 많아져. 너 잘 알잖아, 용돈 같은 게 아니야. 법 바깥에서 하는 일이어도 괜찮잖아. 나름 견딜 만하잖아. 가릴 거 가리면서 내가 수습하니까, 그것도 내가 잘하니까. 그러니까 내 말은 민주야, 조금 편해지는 거야, 말 그대로…… 어쩔래?"

긴 정적이 내리깔렸다. 오로지 뿌연 담배 연기만이 넘실거릴 뿐이었다. 이윽고 굳었던 몸이 다시 풀리려는 듯, 민주는 처진 허리를 소파 등받이에 살살 기댔다. 서서히 피식거리기 시작했다. 애써 참는 것 같았는데, 끝내 민주의 웃음이 커지고 말았다. 하성은 무안해진 터라 못마땅한 얼굴로 긴 콧김을 내뿜었다. 일그러진 눈을 겨우 편 민주는 서서히 호흡을 가라앉히며 자세를 고쳤다. 잔기침 한 번, 입을 열었다.

"내가 개고생을 얼마나 많이 했는데…… 바꾸긴 뭘 바꿔? 그러기에는 너무 멀리 왔어, 지금은."

"후회 안 하겠어?"

이에 민주는 가라앉은 표정마저 깊은 수심으로 빨려 들어갈 것만 같았다. 짧은 침묵 이후, 서늘한 한마디를 던졌다.

"왜 해?"

목구멍이 조금 답답해진 하성은 응접 테이블 밑에서 소주병 하나를 꺼내며 뜸 들이듯 입을 뗐다.

"알았다……."

빈 유리컵마다 소주가 넘칠 만큼 쏟아졌다. 민주는 손바닥에 알코올 냄새가 배더라도 큰 상관 없었다. 고개를 위로 젖히고 또 젖혀 삼켜버렸다. 뜨거운 숨을 내쉬고 이마를 꾹 눌렀다. 달큼함이 체내를 뒤덮었다. 분해될 기미조차 없이 천장을 올려다보며 몽롱함을 되뇌었다. 내부의 불은 꺼지고, 비품실 문틈으로 환한 빛줄기가 새어 나왔다. 램프 모양의 무드등이 우레탄 재질의 벽에 민주의 큰 그림자를 그려놓았다. 민주는 제리코 941의 부품을 하나씩 손질하고 있었다. 검은 기름때 묻어난 흰 휴지를 많이 구겨 재조립까지 마치고, 민주는 옷걸이에 걸린 홀스터로 제리코 941을 집어넣었다. 이내 자주 누웠던 매트리스가 유독 납작했는지, 서너 번을 뒤척인 민주는 배게 밑으로 오른손을 집어넣자 그제야 편안한 숨을 내쉬었다. 천장에 반만 비집고 들어온 무드등 빛이 일렁거렸다. 민주의 눈꺼풀이 스르르 내려갔다. 그림자로 번진 소주병의 반만 남은 양도 더 이상 요동치지 않았다.

그리고 아침이 밝아왔다. 종합 상가 뒤꼍의 주차장은 웬일로 참새 한 마리의 짹짹거림조차 없었다. 구석진 곳에 쌓인 서리들만이 결전을 맞이해 주는 것처럼, 쉬이 녹지 않으며 그 자리 그대로 냉기를 유지하는 중이었다.

"칼 맞지 마. 몸에 데미지 생기면 얼마 못 받는다."

운전연습장에서 내내 굴렸던 회색 승용차의 열린 차창 너머로 하성이 탄환 상자를 더 건넸다. 민주는 그가 야속할 것도 없이 무감한 얼굴로 탄환 상자를 받았다. 거치대의 위치 추적 단말기 전원이 켜졌다. 차창을 닫고 천천히 주차장을 나간 민주는 여느 때와 다름없는 텅 빈 도로를 달렸다. 오로지 청신호였기에 시내를 벗어나 국도에 진입할 수 있었다.

무채색의 자동차들이 슬슬 늘어날 즈음, 민주는 가장자리로 정차했다. 검지로 핸들을 너덧 번 두드리고는 콘솔박스를 열었다. 부엌칼 한 자루와 검은 테이프를 꺼냈다. 부엌칼 중지 걸이에 오백 원 동전을 올려놓았다. 그 위로 검은 테이프를 칭칭 감았다. 푹, 조수석 시트에 부엌칼을 찌른 민주는 떨리는 두 손을 어찌할 줄 모르고, 양 손목뼈를 뚝뚝 풀어 핸들을 잡으려는데, 삐빅, 소리가 나는 위치 추적 단말기 쪽으로 시선을 옮기더니, 그나마 차분했던 표정마저 굳어버리기에 이르렀다.

위치 추적 단말기의 연결이 끊겨버렸다. 민주는 단말기를 뽑아 들어 버튼을 연타했다. 그래도 연결 끊김이라 뜬 알림창이 도무지 사라지지 않을 기미였다. 이내 민주는 입가가 일렁거린 나머지 손바닥으로 단말기를 내려쳤다. 적어도 여섯 번을 내려치자 비로소 재연결된 화면이 떴다. 그러자 입술이 벌어졌다. 멀찍이 있어야 할 붉은 아이콘이 종합 상가와 점점 가까워졌기에 새끼손가락이 떨려오고 말았다. 민주는 단말기를 거치대에 꽂지도 않은 채 다급히 액셀러레이터를 밟았다.

지방도에 진입한 민주는 서행하는 차들을 이리저리 앞질렀다. 하성에게 배운 운전 기술이 분출되다시피 했다. 다른 차들이 기분 나쁜 경적을 울리더라도 민주의 귀에는 들리지도 않았다. 곧 있으면 사거리에 다다르기 직전이었다. 민주가 핸들을 꺾으며 기어와 사이드브레이크를 만지는 순간, 회색 승용차가 거칠면서도 안정적으로 반 바퀴 돌았다. 검은 스키드마크가 새겨진 동시에 끝없는 직진 도로를 질주하며 사라졌다.

한편, 대호의 원룸, 책상 위에는 이미 민주와 하성의 동행이 담긴 사진들 여러 장이 널브러져 있었다.

녹색 모포 위로 일땡과 팔땡이 내리꽂혔다. 깨끗이 씻은 보은이 만족스러운 얼굴로 밑장 두 장을 더 뺐다. 노란 두견새와 노란 멧돼지, 4월 열끗과 7월 열끗의 조합인 암행어사였다. 일땡과 팔땡 위로 내리꽂히는 사나운 소리에 보은의 얼굴 근육 곳곳이 당겼다. 좋은 기분 그대로 침대 밑에서 여행 가방을 꺼냈다. 지퍼를 다 당겨 열었더니 지폐 묶음들이 펼쳐졌다. 보은은 집어 든 한 묶음을 냉동실 안에 넣었다.

새순들을 피워낸 나무들이 원룸 현관 앞 흡연구역에서 담배 연기를 들이마시는 중이었다. 보은은 핸드폰으로 새순들을 찰칵 찍었다. 이내 새순 하나를 톡 뽑고, 켜 올린 라이터 불로 살살 지졌다.

"앗 뜨 -"

보은은 손가락과 불이 닿아 화들짝 놀란 나머지 새순을 놓쳤다. 대형 재떨이의 좁다란 구멍 안으로 들어간 새순이 빗물에 젖어 식었다. 보은은 그걸 놓치지 않고 내려다봤다. 매캐하고도 차디찬 표정이었다.

칼날 박힌 하성의 복부에는 핏물이 지글거리듯 흐르고 있었다. 발밑에 널브러진 군용 단검으로까지 피가 흐를 정도였다. 더구나 칼자루 쥔 상대방의 손은 아주 미세하리만큼 더 깊숙이 넣으려는 기세였다. 하성은 서늘한 표정의 대호와 마주한 상태였다. 칼잡이 두 명의 뒤로 망가진 흔적들이 즐비했다.

"장민주 언제 와?"

하성은 대호의 질문에 입꼬리가 올라갔다.

"느금마 하늘나라, 개새끼야."

욕설로 답한 탓에 칼날의 뿌리까지 들어왔다. 하성은 신음 한 번 토할 틈 없이 입만 벌려졌다. 대호가 마저 물었다.

"딸내미도 아니고 씨발, 왜 이래? 호적에다 올려주려고 악쓰는 거야, 지금?"

"늙은 년이랑 난장 까는 새끼가 그걸 묻냐?"

하성은 대호가 칼을 뽑아버리자 솟구치는 피를 지혈하며 털썩 주저앉았다. 이내 무릎 굽혀 앉은 대호가 하성의 멱살을 잡았다.

"가만히나 있지, 왜 걔랑 붙어서 이 지랄이야……."

대호의 칼이 하성의 가슴께로 슬슬 올라왔다.

"내 눈 보세요."

찌르려는 순간, 쾅, 문을 박차는 소리에 모두 고개를 뒤로 돌렸다. 침착한 기세의 민주였다.

대호가 하성의 멱살을 놓고 자리에서 일어날 때, 민주는 내부의 지형, 부서진 집기, 대호, 칼잡이 두 명, 고개를 내밀어 서서히 창백해지는 하성에게 차례대로 동공을 돌렸다. 이내 민주는 출입문을 닫아 잠금 버튼을 비튼 후, 허리춤에서 중지걸이에 검은 테이프가 칭칭 감긴 부엌칼을 꺼냈다. 대호와 칼잡이들을 서늘히 노려보고 숨을 가빠 들이마시고 내쉬더니, 단전에서부터 울분을 끌어모으는 듯, 고개를 숙였다가 젖히며 격한 고함을 내질렀다.

민주는 먼저 달려들었다. 칼잡이 1의 칼질을 피해 그의 팔을 잡아 꺾고, 얼굴을 그어버린 후, 바로 덤벼든 칼잡이 2에게 어깨를 긁혔으나 곧장 몸을 숙여 허벅지를 두 방 찔렀다. 아예 그의 다리를 잡은 민주는 발목을 꺾어 부러뜨렸다. 이에 더해 대호와 칼잡이 1이 뒤에서 붙잡자 높이 뛰어올라 일부러 넘어졌다. 끊기는 틈조차 없이 칼등으로 대호의 얼굴을 내리치고, 칼잡이 1의 종아리 힘줄을 따버리는 걸로 모자라 복부마저 사정없이 담갔다. 내내 발목을 잡고서 아파하는 칼잡이 2를 보고, 창틀의 수석을 들어 올린 민주는 그의 얼굴을 내려치기에 이르렀다. 한 번, 두 번, 세 번, 횟수가 늘수록 얼굴이 터졌다. 오한에 떠는 하성이 맥없이 팔을 뻗는 줄도 모르고, 민주는 기어코 수석을 우지끈 박살 냈다.

몸과 얼굴에 핏방울과 살점, 돌가루와 흙가루가 튀었는데,

그저 숨을 쌕쌕거리며 일어난 민주는 기절한 대호의 머리채를 잡아 올려 응접 테이블 모서리에 찍어버렸다. 대호가 비명을 질렀다. 포복 자세로 비품실 앞까지 기어간 대호를 놓치지 않으려는 듯, 민주는 고함과 동시에 수석 조각을 던졌다. 놀란 대호가 자세 그대로 움츠러들었다.

비로소 주변이 고요해졌다. 더 아수라장이 된 내부에서 그나마 멀쩡한 이는 민주 한 명이었다. 민주는 동공이 위로 넘어갈 때마다 눈을 질끈 감았다 떴다. 그제야 눈 뜬 채 싸늘해진 하성이 보였다. 긴 한숨을 내쉬고 잔기침을 뱉었다. 무심히 입가를 닦아낸 뒤로는 비틀거리는 게 광란의 마무리였다.

폐공장 2층 공실마저 차디찬 정적이 이어졌다. 네일건을 든 민주가 의자에 결박된 채 겁에 질린 대호를 내려다보고 있었다. 덜덜 떠는 대호의 입에서 옅은 입김도 끊기듯 새어 나왔다. 민주가 말했다.

"최보은 몇 시에 어디서 만나기로 했어?"

원하는 답변이 안 나오는 터, 민주는 입술을 깨물고는 대호의 허벅지에 네일건을 겨눴다. 피슝, 날카로운 못이 허벅지로 박혀 들어갔다. 대호의 쉰 비명이 터져 나왔다. 공실 바깥에서까지 민주의 반복된 질문, 대호의 어정쩡한 답변, 네일건의 발사가 들려왔다.

2층 통행로에는 민주와 준일이 마주 서 있었다. 준일이 건넨 건 혈액백 다섯 개가 담긴 봉투였다. 민주는 손 뻗어 봉투를 받았다.

"내일 아침 일곱 시까지. 아까 보내준 좌표로."

민주의 담담한 정보 공유였다. 조금 충혈된 준일이 건조해진 얼굴을 비비며 말했다.

"나 퇴근 전에…… 사장님이 테이블이랑 의자 하나 더 주문하라 하셨어. 이거는 내가 말해줘야 할 것 같아서. 유언 아닌 유언이라……."

민주는 느지막이 고개를 들었다. 목소리가 가라앉은 준일을 봤다.

"그랬구나……. 오빠는 이제 어쩔 거야?"

"나는 장사할 줄 몰라. 시키는 것만 잘하지……."

동공이 흔들린 민주는 급히 1층으로 시선을 옮기니 더블 소파에 앉아있는 하성의 주검이 보였다. 짧은 시간이 흐르고, 민주는 홀로 하성 앞에서 담배 두 개비를 꺼내 물었다. 불붙인 한 개비를 하성의 손가락에 끼우고, 다른 한 개비는 깊이 빨아들이며 무심히 몸을 틀었다. 고별은 신발 밑창이 바스락거리는 소리였다. 하성의 담배는 서서히 타들어 가고, 회색 재를 뱉어내며 작아지기만 했다.

명확한 결전을 알리는 아침 해가 떠올랐다. 폐공장 앞에는 시동 걸린 용달차가 덜덜거리는 중이었다. 칼잡이 1의 옷을 입은 준일이 하성을 적재함에 조심스레 올려놓고, 여전히 겁 먹은 대호를 조수석으로 욱여넣듯 태울 즈음, 혈액백 다섯 개 를 다 뒤집어쓴 민주가 밖으로 나왔다. 적재함에 올라탄 민주 는 허리춤의 제리코 941의 손잡이를 확인할 겸 가벼이 잡고 놓았다.

어느새 적재함이 방수포에 덮인 용달차는 텅 빈 지방도를 달리고 있었다. 민주는 방수포의 벌어진 틈으로 얼굴을 들이 밀었다. 바람에 휘날리는 머리카락을 넘기고, 짐받이 판에 겨 우 등을 기대니 시원한 공기로 얼굴을 식혔다. 민주는 허리 잘린 황무지와 머나먼 곳의 민둥산이 있는 풍경을 멍하니 바 라봤다. 마을버스를 타고 종종 봤던 풍경임에도 다소 낯설었 는지, 민주는 가고 없는 것들에 대해 곱씹는 표정을 띄웠다. 이내 용달차가 우회전하자 민주는 다시 방수포 안으로 스르 르 들어갔다.

도착한 곳은 최기석 씨가 묻힌 민둥산, 그 앞의 널따란 맹 지였다. 주머니에 손 넣고 쌀쌀함을 녹이는 보은이 용달차가 점점 가까워질수록 콩콩 뛰기 시작했다. 용달차가 정차했다. 준일이 운전석에서 먼저 내려 방수포를 풀고, 대호가 조수석에서 내려 보은에게 눈인사했다. 보은은 그의 눈인사를 받지 않고 곧장 적재함 앞으로 다가갔다. 준일이 방수포를 펼치자 축 처져 널브러진 민주와 하성이 드러났다. 선물 받은 어린이인 양, 보은은 박수와 더불어 방방 뛰며 대호를 껴안으려다 멈칫하고, 민주의 발목을 찰싹 때렸다. 보은은 아무 반응이 없는 것까지 확인하고 나서 제대로 대호를 껴안았다. 대호의 표정이 편치 않았다. 준일이 적재함 뒤에서 가만히 노려보기 때문이었다. 어쩔 수 없다는 기색으로 보은의 머리를 쓰다듬는데, 스르륵, 소리에 보은의 온 감각이 굳어졌다.

보은은 살며시 포옹을 풀고 뒤로 돌았다. 철컥, 제리코 941을 겨눈 민주의 모습이었다. 한 치의 흔들림도 허용하지 않으려는 매서운 눈빛으로 보은과 대호를 겨눴다. 보은은 입이 벌어졌다. 탕, 민주는 그 잠깐의 틈조차 총성으로 메웠다. 대호의 오른쪽 가슴팍이 터지자마자 보은이 귀를 막고 뒷걸음질쳤다. 민주가 바닥을 쏘더니 비명과 함께 헐레벌떡 도망치기 시작했다. 착지한 민주는 목뼈를 풀기만 했다. 곧이어 보은의 발밑을 노려 세 발을 더 쐈다. 모래와 조약돌이 산산이 깨졌다. 소스라친 보은이 속력을 더 냈고, 민주는 무릎 굽혀 앉아

긴 호흡을 참는 동시에 보다 더 제대로 겨눴다. 보은이 민둥산 초입으로 도착하기 직전, 시간이 느려진 것처럼 보이고, 민주는 방아쇠를 당겼다.

탕, 보은의 왼쪽 종아리가 터졌다. 자리에서 일어난 후, 민주는 준일과 눈빛을 교환하며 천천히 보은에게 다가갔다. 이윽고 종아리를 지혈하며 곡성을 내지르는 보은과 가까워진 민주는 홀스터 안에 제리코 941을 집어넣었다. 살벌해진 기색의 보은은 그저 소리만 질렀다. 민주는 질은 침이 질질 나오는 그녀의 모습을 똑바로 봤다. 뭉개진 발음의 욕설을 내뱉는 모양새였다. 한순간도 안 놓치고픈 열망이 민주의 두 눈에 이글거렸다. 이내 다리를 뻗어 보은의 얼굴을 걷어찼다. 멀리서 불어오는 바람에 민둥산의 나뭇가지와 잎들이 흔들렸다.

그리고 민주는 얼굴의 딱딱히 굳은 피를 마른세수로 벗겨냈다. 손바닥에 묻어난 긴 피딱지가 낮은 바람에 떨어져 나갔다.

이로부터 짧은 시간이 흘렀다. 야산의 평지 끝자락에서부터 나뭇잎과 흙이 밟히는 소리가 들려왔다. 민주가 기절한 보은을 짐짝처럼 질질 끌고 가는 중이었다. 201호 여자를 묶었던 두꺼운 나무 앞에 다다랐다.

보은은 눈을 떴다. 입은 테이프로 봉해졌고, 몸은 밧줄에 묶인 상태였다. 바로 앞에는 민주가 서 있었다. 민주는 그제야 슬라이드를 당겼다. 금방이라도 제리코 941을 겨눠 방아쇠를 당길 수 있는데, 보은이 일어나길 기다리는 기세였다.

정적 속에서 그나마 잡풀만이 굴러다녔다. 복날에 갈릴 닭처럼 사로잡힌 생물학적 모친을 향한 무심한 눈빛만이 민주의 언어였다. 두 사람의 눈시울이 붉어졌다. 보은은 답답한 고함을 터뜨렸다. 민주는 잠잠히 생각했다. 이 여자의 세 음절을 해석할 수 있을까, 진정 미안하다는 건지, 웃기지 말고 결박 좀 풀라는 건지, 혹은 이 둘 다 겁에 질린 나의 헛된 바람인지, 민주는 그 무엇이든 간에 제리코 941을 들어 올렸다. 눈과 가늠자 위치를 맞췄다. 왼손으로 받치기까지 하며 곧은 자세를 취했다. 그럴수록 숨이 가빠진 보은은 두 음절의 고함을 내질렀다. 민주는 왼쪽 눈을 감고 긴 호흡을 삼켜 눌렀다. 오른손 검지를 방아쇠에 올려놓았다.

하나, 둘…… 셋, 보은의 갈라진 비명이 갓 나오려는 찰나에 총구가 반짝였다. 뜨거운 불빛으로 분출된 다섯 발의 탄환이 보은의 복부와 가슴팍을 뚫어버렸다.

총성이 앙상한 가지들 사이로 가려진 하늘을 울렸다. 사입구로부터 검붉은 피가 솟구쳐 흘러내렸다. 고요함이 스산한 바람처럼 찾아왔다. 민주는 제리코 941을 내려놓고 절명한 보은 옆으로 다가갔다. 고개가 처진 상태였다. 망설임 없이 관자놀이에 한 발을 더 쐈다. 핏방울이 민주의 얼굴에 튀었다.

보은과 마주 선 민주는 까마귀 사체를 잡았던 날을 떠올리듯, 조심스레 뻗은 손으로 테이프를 떼며 그녀의 목을 쥐었다. 보은의 두 눈은 이미 위로 솟아있었다. 민주는 새까맣고도 충혈된 눈빛이었다. 어금니를 꽉 깨물고 손에 힘을 더 주니 벌어진 보은의 입 밖으로 묽은 핏물이 철철 쏟아졌다. 지저분한 운동화 앞축에도 핏물이 흘러내렸다. 민주는 손을 내려놓았다. 살기 어린 기세가 가라앉았다.

평지 바깥의 텃밭 인근에는 굴삭기로 파인 구덩이가 있었다. 민주는 널브러진 보은의 사체를 걷어차 구덩이로 밀어 넣었다. 출렁이는 기름통을 집어 들어 가득 들이부었다. 더불어 기름통 손잡이에 끼워진 신문지에 불을 붙여 구덩이로 던졌다. 화르르, 타닥거리며 매캐한 연기가 올라왔다. 넋 나간 얼굴로 몇 걸음 빠지고, 연기 위로 손을 올리더니, 느릿느릿 비비며 온기를 냈다. 그럴수록 점점 살가죽과 섬유 타는 냄새가 섞였다. 민주는 코끝으로 들어온 냄새에 손 비비기를 멈췄다. 담뱃갑을 꺼냈으나 텅 빈 터라 구겨진 지 오래였기에 마저 던져버렸다. 거뭇한 덩어리 위로 내려앉은 담뱃갑이 금방 곁

불에 삼켜졌다.

더욱 거뭇해진 연기가 하늘 끝까지 닿으려 했다. 민주는 뒤돌아 걸어 나갔다. 열기 오른 두 볼이 자연스레 식어갔다.

비포장로 옆의 앙상하고 긴 나무 한 그루가 민주의 지나감에 살살 흔들렸다. 그 위에 매달린 마른 잎 하나가 나부끼고만 있었다.

그러니까 민주가 열다섯이었을 때, 서울역 승강장 계단을 타고 도망가려던 때, 하성은 어린 그녀를 품에 안고 토닥여줬다. 민주는 울음을 참으며 서러워했다. 더구나 이 아저씨가 나를 데려가려는 게 아님을 인지했으니 꽉 잡은 옷자락을 겨우 내려놓았다. 그녀의 앙상한 손도 하성의 구겨진 자국을 토닥였다. 하성은 포옹을 풀었다.

"나는 너 놓친 거다."

민주는 조금 놀란 얼굴로 하성을 올려다봤다.

"대신 나한테 찾아오면 안 돼. 핸드폰 꺼놓고 부산이나 목포에 숨어 있어. 그리고 조용히 다시 올라와서도 숨어 있어야 네가 살아. 알았어?"

민주는 고개를 끄덕이며 떨어지는 눈물 줄기를 닦아냈다.

하성이 엘리베이터로 향해 버튼을 눌렀다. 그가 금방 도착한 엘리베이터에 몸을 싣고 사라진 후, 긴장이 풀린 민주는 천천히 굽혀 앉았다. 두 팔로 몸을 감싼 채, 열다섯 해에 걸친 탈출의 순간을 다셨다. 오랜 침묵이 한참 동안 내리깔렸다.

꽃샘추위는 무더위에 덮였다. 무더위는 바스락거리는 미풍에 쏠렸다. 바스락거리는 미풍에 얼어붙고 또 녹은 잡풀들이 곳곳의 가장자리를 적셨다. 그사이 마을회관 외벽은 새 페인트로 칠해졌으나 갈라진 흔적까지는 가리지 못했다. 더구나 흔했던 일회용 낚싯대들이 분리배출함에 쑤셔 박혔다 한들, 반짝이는 낚싯바늘들이 과자 조각을 받아먹고자 대가리 내민 물고기처럼 삐죽 튀어나와 있었다.

이른 아침인 까닭에 고속도로 하부가 바람 갈리는 소리로 많이 울리지 않았다. 경사로 중턱에는 그저 다를 바 없이 민주가 앉아있었다. 지친 얼굴로 담배를 피우는 그녀는 중화제 냄새가 채 안 가신 붉은 머리였다. 정수리로부터 앞 머리카락으로 이어지는 새치 줄기는 그대로였다. 담배가 슬슬 짧아질 즈음, 민주는 신경 쓰이는 듯, 시선을 옮긴 먼발치의 포장도로 구석에서 서성이는 건장한 남자 둘을 발견했다. 등산복 차림인 걸 보니, 관할서 형사들이었다. 매서움이 번진 민주는 조심스레 허리춤으로 손을 뻗는데, 쥐었다 펴도 잡히는 게 없어 눈빛이 멍해진 나머지 도로 허벅지에 살며시 얹었다. 괜스레 손바닥을 펼친 민주는 일어나고 벌어진 꺼풀들을 봤다. 이내 쫘악, 뜯어낸 꺼풀을 널브러진 집게와 마대 사이에 내려놓았다.

포장도로 한가운데에 깃털 몇 가닥이 벗겨진 노쇠한 까마귀 한 마리가 오랫동안 종종거렸다. 내내 알 수 없는 말을 중얼거린 민주는 멀찍이 떨어져 있는데도 몸과 얼굴이 굳어버린 상태였다. 정작 까마귀는 뭣 모르고 고개만 갸웃거릴 때, 민주는 턱이 바들바들 떨리는 걸로 모자라 집게 쥔 손에 힘이 들어갔다. 얼마 안 있어 까마귀가 콩콩거렸다. 거리가 가까워지기에 이르렀다. 민주는 다리조차 움직일 수 없었다.

일순간, 날개를 펼친 까마귀가 머리에 닿을 만큼 떠올랐고, 민주는 숨이 뒤집히는 소리를 토해내며 다급히 굽힌 두 팔로 얼굴을 가렸다. 찰그랑, 집게가 떨어졌다. 민주의 얼굴에 창백함과 소름 돋치는 뻣뻣함이 드리워졌다. 천천히 무릎 펴 일어난 민주는 무거워진 나머지 아래로 쏠린 고개를 쉬이 들지 못했다.

푸근한 오후인데도 기다란 구름이 좀처럼 해를 내보이지 않았다. 오락실마저 오가는 사람들이라고는 키 작은 초등학생들이 전부였다. 게임은 하지 않고 낯선 기분 그대로 배회만 했다.

민주는 늘 했던 격투 게임 중이었다. 다만 목각 인형 캐릭터의 주먹질과 발길질이 허공에만 떠돌 뿐, 흉한 아수라를 닮은 격투가 캐릭터에게 내내 얻어터졌다. 버튼을 탕탕 두드려도 에너지 게이지가 더 깎이고 말았다. 얼마 안 있어 게임 오버를 알리는 로고가 떠올랐다.

플라이트 슈팅 게임이라 해도 다를 건 없었다. 방향 레버를 돌리며 적군기들의 십자포화를 겨우 피했지만, 미사일 한 방이나마 쏘려던 차에 격추당했다. 게임 화면의 빛이 일렁거려 민주의 얼굴에 물들었다. 이내 입술에 경련이 일었다.

별안간 민주는 약 올리듯 솟아오르는 두더지들을 모형 망치로 내려쳤다. 야윈 얼굴인데도 볼이 흔들렸다. 그 모습을 내내 배회했던 초등학생들도 멀찍이 떨어져 구경했다. 이에 민주가 어금니를 더 꽉 깨물어 휘두르는데, 모형 망치의 머리 부분이 날아가 바닥에 떨어졌다. 초등학생들이 흠칫하든 말든, 민주는 들이마시고 내쉬며 기준치도 안 되는 최종 점수를 맞이했다. 눈시울이 붉어졌다.

야심해진 마을회관의 작은 방에는 흔들리는 나뭇가지가 창문 유리창에 연신 닿았다. 세 박자의 일정하고도 자잘한 두드림이었다. 새우잠 자던 민주는 서서히 끙끙 앓기 시작했다. 옆구리에 누가 걸터앉기라도 한 건지, 도무지 몸을 돌릴 수 없는 모양새였다. 이윽고 가까스로 왼쪽 발목을 꿈틀거린 민주는 상체를 벌떡 일으키자마자 옆구리를 만졌고, 이마와 얼굴에 흐르는 진땀을 닦아내고는 배게 밑에서 부엌칼을 꺼냈다. 벽에 바짝 붙어 활짝 열린 문을 닫아버렸다. 얼마 안 있어 끼익, 하고 살짝만 열린 문틈으로 실핏줄 솟은 민주의 불안한 눈이 드러났다.

아침이 밝자마자 베란다를 뒤적거린 민주는 플라스틱 바가지에 작두콩과 꽃소금을 담은 채 거실로 나왔다. 단단히 작정한 듯, 경직된 표정이 흔들릴 정도로 한 움큼 쥐어 뿌릴 때마다 개수대와 화장대 밑으로 들어갔다. 이내 다 뿌리지 않고 바가지를 엎어버린 민주는 무릎 굽혀 앉아 고개를 숙이며 이마를 짚었다. 그러다 소름이 돋은 건지, 자세 그대로 움찔한 후, 굳어버린 몸을 움직여 천천히 작은 방으로 향했다. 문을 열고 들어선 민주는 내벽 쪽을 보자마자 넘어졌다. 언제나 있었던 얼룩이 더 커지고 넓어진 광경이었다. 민주는 입을 틀어막은 덜덜 떨며 손을 내려놓았다. 입술이 바르르 떨렸다.

끝내 민주는 야산의 평지로 들어섰다. 앞으로 열일곱 걸음만 가면 보은을 절명케 한 나무가 보이는 초입이었다.

때마침 뒤에선 사복 차림의 형사 다섯 명이 숨어 있었다. 민주는 인기척을 느끼고는 얼굴의 옆선만 조심스레 드러냈다. 서늘한 정적이 흘렀다. 민주는 달렸다.

형사들도 뒤쫓기 시작했다. 앞서가는 민주의 자세는 마치 뛰어도 뛰는 게 아닌 끌려가는 모습 같았다. 그저 무감한 얼굴이었다.

형사들이 큰 목소리로 민주의 이름을 외쳤다. 정작 민주의 귓전에는 이름조차 들리지 않았다. 넘어져도 몸을 털지도 않고 일어나 텃밭이 보이는 곳에 다다랐다.

실로 간만이었다. 그때처럼 살가죽과 섬유 타는 잡내가 나진 않았지만, 텃밭만이 펼쳐져 그리 어둡지 않은 터라 민주의 얼굴이 조금 일그러졌다. 여기저기 고개를 돌린 민주는 그 구덩이를 보고 멈칫했다. 이윽고 맥없이 걸어가 구덩이의 낭떠러지 앞에 섰다. 허리춤에서 제리코 941을 꺼냈다. 머리채 잡히는 양, 고개를 쳐들어 보이는 하늘은 여전히 흐리기만 했다.

"장민주!"

민주는 그제야 벽력같은 호명에 뒤로 돌았다. 총을 겨눈 형사들이었다.

"총 버려!"

외려 민주의 팔이 뚝뚝 끊기듯 움직였다. 그뿐만 아니라 제리코 941을 쥔 손이 민주의 턱 밑에 가까워지고, 총구가 턱살에 지그시 닿아 눌렸다. 다리에 바짝 힘 들어간 형사들이 단 두 걸음만 나섰다. 그러더니 민주의 어깨가 들썩거렸다. 민주는 실실 웃는 얼굴이었다. 반면 두 눈에는 맑은 물이 차올랐다.

"총 버려, 인마!"

스산해졌다. 흙먼지 뒤덮인 운동화 앞축이 살살 떠올랐다. 민주의 몸이 먼저 흔들렸기 때문이었다. 올가미에 걸린 가벼워진 몸뚱어리라 해도 무방했다.

그리고 민주는 분명히 속삭였다. 병신 같은 년이라는 다섯 마디였다.

탕, 격발과 더불어 정수리가 터지며 구덩이 밑으로 모습을 감춰버렸다. 뼈 깨지는 마찰음이 들려왔다.

총을 집어넣지도 않은 형사들이 굳은 다리를 끌고 구덩이 앞에 멈췄다. 저마다 밀려오는 스트레스 탓에 머리를 긁거나 얼굴을 비볐다. 짜증과 난처함이 뒤섞인 표정으로 밑창을 내려다보는 게 전부였다. 그들이 파도에 밀려온 사산된 새끼 상어를 물끄러미 보는 해경들 같더라도, 잡으러 오는 이가 다섯 명으로 훌쩍 늘었더라도, 존속 살해범이자 오랫동안 공공근로로 생계를 유지한 장 모 씨가 숨지는 건 한순간이었다.

장장 또 다른 1년 5개월을 나부꼈던 마른 잎의 줄기가 툭 끊겼다. 뭉개진 발자국 안으로 소리 없이 낙하해 고스란히 누울 뿐이었다.

아무개

아무개 [아:무개] [대명사]

1. 불특정 누군가 또는 언급하기 싫은 사람을 뜻하는 표현.
2. 한자어로 수모(誰某)라고도 한다. (누구 수, 아무 모)

⊙ 등장인물

김재하 (28_남) : 기화대학교 예술대학 시설관리원. 종합예술관을 담당하는 시설관리 7반 소속. 전직 종합격투기 후보 선수.

윤수영 (24_여) : 기화대학교 예술대학 미술학부생. 학생 홍보대사와 예술대학 학생회 간부 역임. 다수의 봉사활동 수료.

이원모 (24_남) : 기화대학교 예술대학 미술학부생. 가톨릭 신도이자 수영의 남자친구. 수영과 함께 조형전공 3학년으로 복학.

박남선 (28_남) : 공과대학 시설관리원. 재하의 동료.

정인표 (57_남) : 시설관리 7반장. 재하의 상사.

시설과장 (51_남) : 교내 시설관리 책임자. 인표와 친한 사이.

민머리 (22_남) : 미술학부생. 원모와 친한 후배.

수영과 원모의 동기생들, 예술대학 소속 학생들, 체대생 등.

튼실한 팔뚝에 죄인 붉은색 그래플링 더미가 짓눌려 터지기 직전이었다. 이른바 숙직실이지만, 녹색 방수페인트 칠해진 바닥과 구석의 배관을 보니 급조한 티가 여실한데, 정작 재하는 자연스레 백 초크를 풀고 일어나며 그래플링 더미를 패대기쳤다. 가죽 특유의 찰진 마찰음도 천장과 더불어 모서리 곳곳으로 팽팽히 퍼졌다. 그래도 몸이 덜 풀린 재하는 뻗친 머리를 누르고는 트라이앵글 초크를 취했다. 그러나 오전 일곱 시가 조금 넘은 책상 구석의 디지털시계가 두 눈에 걸렸다. 도로 일어나 번쩍 들어 올린 그래플링 더미를 매트리스로 조심스레 던진 후, 미니 서랍장의 첫 번째 칸을 열어 기다랗고 투명한 약 포지를 꺼냈다. 한 포 뜯어 생수에 들이켠 약이란 자그마한 아침용 항우울제였고, 미니 냉장고가 품은 차디찬 맥주로 약효를 끊어내는 게 곧 루틴이었다.

매트리스 위로 비스듬히 앉아 벽에 기댄 재하는 자신과 똑같은 자세의 그래플링 더미를 대충 훑었다. 술 권하는 어른처럼 맥주캔을 들이밀었지만, 고무 인간에게 알코올이 들어갈 리 없었다. 머쓱해진 재하는 맥주를 단숨에 들이켜는데, 책상 아래의 충전기에 연결된 무전기에서 회로 잡음과 중년 남자의 갈라지는 목소리가 들려왔다.

"재하야."

두 모금을 넘긴 재하는 맥주캔을 내려놓자마자 책상으로 움직여 응답했다.

"예, 준비 중입니다."

"이따 저기, 스튜디오 앞에 있는 폐목재들 있지?"

"정리하겠습니다."

"응."

"확인."

짧은 교신이었다. 머리를 긁적인 재하는 방화문 쪽 내벽의 자바라 옷걸이로 움직였다. 이따금 입는 사복들 옆에 붉은색과 남색이 배치된 작업복 재킷이 걸려 있었다. 재하는 작업복 재킷과 바지로 팔다리를 집어넣고, 허리춤에 공구 벨트를 둘러 플라스틱 버클까지 맞췄는데도 어깨가 처졌다. 재하는 자연스레 매트리스 위의 그래플링 더미로 동공을 돌렸다. 애써 올린 입꼬리도 스르르 내려갔다.

기화대학교 종합예술관의 지하는 숙직실뿐 아니라 용도 없는 공실들이 훨씬 많았다. 몇몇을 미술학부 실습실과 연극영화학부의 소품실로 쓰며 음기를 누른다 한들, 워낙 깊고 넓은 터라 귀신 소굴이라 불렸고, 밤에는 불이라도 안 켜면 기이한 소문들이 우후죽순 생겨나가 일쑤였지만, 교내 노무자들에게는 별 관심 없는 내용들일 뿐이었다.

지상에서 현관문의 삐걱거림과 사람의 잔기침이 들려왔다. 그래플링 더미를 들고나온 재하는 계단 바로 앞에 있는 자투리 복도로 다다랐다. 그 한가운데에 덩그러니 놓인 의자로 그래플링 더미를 앉히고, 휴대용 피톤치드 방향제를 곳곳 뿌렸다. 더 나아가 서비스라도 해주는 듯, 재하는 두 손으로 그래플링 더미의 머리를 주물렀다. 마치 편도체의 불순 단백질을 분해하려는 손놀림이었다. 다부진 손등의 핏줄도 오므려지고 펴지기를 반복했다. 그럴수록 재하의 입술도 살살 벌어졌다. 치직, 다소 낯선 회로 잡음과 함께 음성이 들려왔다.

"공학관 보일러실, 보일러실 가동 완료, 이상."

재하는 뻔하다는 기색으로 무전기를 들었다.

"육반, 여기 칠반입니다. 이따가 면상에다 오줌 발사하기 전에 채널 바꾸십시오, 이상."

이내 무전기에서 낮은 웃음소리가 새어 나왔다.

"미안합니다, 이상."

재하도 피식거리며 답했다.

"수고하십시오, 이상."

"빨래방에서 만납시다, 이상."

무전기를 집어넣은 재하는 코팅된 화강석 계단을 한 칸씩 밟아 올라가다 멈칫했다. 도로 내려간 때마침 납작하고 곧은 햇살이 복도 끝의 좌측 출입문 아래의 틈새로 뻗쳐 있었다. 잰걸음으로 향한 재하는 햇살을 밟고 출입문을 열어젖혔다. 재하가 나가며 천천히 닫힌 출입문과 그림자에 뭉개지더라도 햇살의 모양이 원래대로 돌아왔다.

좌측 출입문 너머로 녹색의 렉산 루프가 설치된 거친 경사로가 펼쳐졌다. 울퉁불퉁한 틈마다 축축한 낙엽과 잡풀이 널브러져 있었다. 그 위를 올라 평지에 다다른 재하는 멀찍한 맞은편을 바라봤다. 햇살이 강한 나머지 눈꺼풀이 구겨졌지만, 종합예술관이라 새겨진 바위 간판만큼은 시야에 명확히 잡혔다. 미술학부가 종합예술관에 입주한 기념으로 제작된 바위 간판이었다. 교내 노무자 중에서 재하만이 바위 간판을 향한 명상 겸 쉬는 시간에 받을만한 간식을 떠올렸고, 세차 한 번 부탁한다는 노교수들을 마주치지 않으려면 어디로 내빼야 하는지, 이따금 학생들이 밤마다 숨죽여 들락날락해 습기와 이상한 잡내로 끈적해진 공실 또한 종합예술일 수 있을지, 이런 잡생각들도 부유하게끔 내뒀다. 그리고 재하는 모서리 찌그러진 담뱃갑의 마지막 한 개비에 불을 붙인 후, 좁다란 보폭으로 서성이며 혀를 튕겼다. 되새김질로 인해 담배가 짧아 질수록 옅은 한숨을 내쉬었다.

종합예술관 우측, 연극영화학부 스튜디오 앞에 여럿 쌓인 폐목재마다 대톱에 썰려 나간 흔적이 제각각이었다. 재하는 큰 수레를 끌고 도착했다. 수레 손잡이를 내려놓자마자 폐목재들을 두 단씩 들어 올렸다. 허리를 펼 때면 미간이 일그러졌다. 그래도 다 싣고 나서 수레 손잡이를 잡아 올리려던 차, 무전기의 회로 잡음이 들려왔으므로 어김없이 응답했다.

"스튜디오입니다."

숙직실에서의 짧은 교신을 주고받았던 중년 남성이 물었다.

"어디라고?"

"저 지금 스튜디오에서 목재 정리 중입니다."

"어어, 목재 얼마나 남았니?"

그러자 무전기 너머로 지글거리는 전자파가 들려왔다. 그 탓에 멍해진 재하는 급히 고개를 파르르 떨었다.

"아아, 그, 다 거뒀어요, 지금."

"응, 삼층 올라가. 삼돌 와트 네 개 챙기고."

"삼백 오호죠?"

"어, 거기야."

"확인."

교신을 마친 재하는 마저 수레 손잡이를 잡아 올려 녹슨 바퀴 소리와 함께 뒤꼍으로 향했다. 32와트 형광등 네 개를 챙기고 3층에 오르기까지 이십여 초도 안 걸렸다.

305호 강의실의 바닥과 내벽에 은은한 음영이 드리워진 상태였다. 학생 세 명이 뒷자리에 몰려 대화 중이었다. 정확히는 남학생 두 명만 라디에이터 옆에서 나지막이 수다 떨고, 노곤한 얼굴의 여학생 혼자 일체형 책상에 앉아있었다. 여학생은 혹여 분이 안 풀리는 건지 아랫입술을 깨물며 앞 머리카락을 넘겼다. 뒤에 있던 남학생들이 그녀의 옅은 한숨에 목소리 크기를 조금 낮추는 차, 재하가 문을 열고 들어와 전등 스위치를 딸깍거렸다. 중앙 자리의 형광등 불 하나가 들어오지 않았다. 속히 일체형 책상을 밟고 올라간 재하는 거뭇한 형광등들을 조심스레 뽑았다.

"잠깐 와 봐."

천장으로 시선을 옮긴 키 큰 남학생이 재하에게 천천히 다가갔다. 키 작은 남학생도 키 큰 남학생을 따라갔다. 재하에게 말했다.

"기사님, 도와드릴게요."

"어, 네, 고마워요."

재하는 뽑은 형광등들을 키 큰 남학생에게 하나씩 넘겼다.

아울러 키 작은 남학생이 32와트 곽을 열어 새 형광등을 건네는데, 여학생은 맥 빠진 채 이마를 긁더니, 얼마 안 있어 번쩍 커진 두 눈을 슬그머니 재하에게 돌렸다. 정작 그 시선을 모르는 재하는 형광등을 조립하자마자 바닥으로 내려왔다.

"진짜 고마워요."

키 큰 남학생이 미소 띤 얼굴로 재하에게 답했다.

"수고하세요."

키 큰 남학생의 상냥하고도 귀에 선명히 박히는 중저음이었다. 재하는 조금 놀랐는데도 빈 곽을 접으며 바삐 강의실 밖으로 나갔다. 여학생은 재하의 뒷모습을 문이 닫히는 순간까지 물끄러미 보기만 했다.

지하의 탕비실 또한 숙직실과 마찬가지로 중고 집기 서너 채만이 전부고, 하단 콘센트와 연결된 스테인리스 포트가 끓고 있는데, 재하는 흠집 만연한 전신 거울을 빤히 보는 중이었다. 거뭇한 피부, 멍한 눈빛, 흐릿한 턱수염 자국, 굵은 얼굴형이 있는 그대로 드러났다. 이내 재하는 부르튼 입술에 손을 살짝 댄 나머지 움찔했다. 아울러 얼굴의 위치와 맞닿은 거울 상단에 허여멀건 얼룩이 보였다. 손수건으로 얼룩을 벅벅 닦아낸 후, 어김없이 허리춤의 무전기로부터 음성이 들려왔다.

"나는 물 조금만 부어줘라."

"예, 알겠습니다."

커피포트의 가열 버튼이 뚝, 하고 솟았다. 진한 김을 뿜어졌다. 회로 잡음과 음성이 다시 들려왔다.

"칠반, 칠반, 당소 육반이라 알리고 –"

재하는 무감한 표정으로 답했다.

"좀 닥쳐라."

재하의 건조한 한마디에 공학관 교신이 뚝 끊겼다. 그러든 말든, 재하는 커피믹스가 깔린 종이컵에 포트의 온수를 들이부었다.

목재 가림막으로 둘러싸인 흡연 구역 위로 저품질의 아라비카 원두 향과 타르 냄새가 섞인 기다란 연기가 스멀스멀 올라갔다. 숙직실에서부터 무전 너머로 일과를 지시했던 인표가 재하와 함께 인스턴트커피를 한 모금씩 홀짝이고 있었다. 백발이 성성한 인표가 먼저 담배 한 개비를 태웠다. 뒤이어 재하 또한 조심스레 담뱃갑을 꺼내는데, 바위 간판을 향한 명상과 함께 태운 마지막 한 개비가 막 떠올랐고, 자근자근 구겨 캔과 플라스틱이 쌓인 휴지통으로 가벼이 던졌다.

"너도 늘긴 는다. 커피 맛이 달라졌어. 달아, 아주."

재하는 인표의 덕담에 엷은 미소를 지었다. 동시에 인표가 건넨 담배 한 개비를 받고, 직접 켜 올려준 라이터 불에도 마저 지져 비로소 옅은 연기를 내뿜었다.

"그래봤자 인스턴트잖아요. 저는 모르겠어요."

"일은 여즉 할 만하니?"

인표의 질문에 다른 업무들도 떠오른 듯, 재하의 엷은 미소가 천천히 가라앉았다.

"예, 그럭저럭. 가끔 애들 꽁초 치우는 거 빼고."

인표가 실소하며 고개를 끄덕였다.

"알아. 그거 요 앞전에 하던 애도 더러워서 싫다 그러더라. 나 같아도 싫지. 어린 것들이 담배들 피우면서 왜 그렇게들 침을 뱉나 몰라."

"그러니까요, 그거 외주업체 여사님들도 더러워하세요. 볼 때마다 열 받아요. 고라니가 침 뱉는 것도 아니고……."

커피를 반쯤 들이켠 인표가 재하의 일그러지려는 얼굴을 흘깃댔다.

"너 잠은 좀 자? 숙직실 안 불편해?"

재하는 얼룩 묻은 바닥으로 담뱃불을 튕겼다. 옅은 콧김을 뿜고 잔기침을 뱉으며 답했다.

"종종 처방받으니까요, 병원에서. 누울 곳만 있으면 돼요. 괜찮아요."

고개 숙인 인표가 담배 연기를 아래로 내뿜었다.

"혹여나 몸 안 좋으면 하루 쉬어라. 그거 반장들이 허락해 줄 수도 있어. 요즘은 뭐, 그래도 시설과에서 크게 뭐라 안 하니까. 많이 바뀐 거지. 예전에나 일빵빵이었고……. 어렵게 생각하지 마. 그리고 저기, 이따 공터 가서 목재들만 좀 버리고 오고."

"군단 가는 방향?"

"어, 항상 가던 곳. 식사는 따로 챙기고."

목재 가림막의 뻥 뚫린 부분으로 삼삼오오 서성이는 앳된 신입생들이 보였다. 명찰 목걸이 또는 화구통을 걸치지 않은 걸 보고 문예창작학부 학생들임을 알았다. 재하는 입꼬리가 조금 솟은 듯하고도 아닌 표정이었다. 철책 너머의 사슴 무리를 관찰하는 것처럼 그들을 바라봤다.

시설관리 7반의 승합차가 한산한 도로를 달렸다. 육군의 어느 군단을 거쳐 조금 더 직진하다 좌회전하면 비포장도로에 진입할 수 있었다. 그 옆으로 펼쳐진 널따란 공터가 도착지였다. 온통 모래인 데다 풀 두어 가닥만이 뿌리내렸기에 황무지라 불러도 무방했다. 무엇보다 미풍마저 불어오지 않아

서걱거리듯 건조하기 그지없었고, 간간이 뭉개져 들려오는 소음 또한 금방 멎으니 실로 고요한 곳이었다.

초입을 통과해 정차한 재하는 운전석에서 내려 트렁크를 높이 열어젖혔다. 한 단씩 들어 올린 폐목재들을 잡초 우거진 낮은 경사로에 힘껏 던졌다. 얼마 안 있어 폐목재들을 전부 비운 재하는 트렁크를 닫다 말고, 일과 시작 전과 같이 멀찍이 보고자 눈을 찌푸리며 고개를 내밀었다. 족히 마흔 보를 넘겨야 다다를 수 있는 공터 한가운데에 칠 벗겨진 드럼통이 우두커니 있었다. 재하는 트렁크를 마저 닫고 나서 손목뼈를 풀었다. 벗은 목장갑 두 짝을 때리듯 휘둘러 팔다리의 나뭇가루를 털어낸 후, 경사로 앞에서 뛰어올라 공터 모래밭으로 사뿐히 착지했다. 무릎 편 재하는 몸의 미동이 잦아들기까지 오래 걸리지 않았다. 아울러 무감한 얼굴로 드럼통을 내다봤다. 종합예술관 바위 간판을 볼 때와 다른 눈빛이었다. 무광의 검은자가 더 새카매질뿐더러 들이마시고 내쉬는 소리조차 나지 않았다.

왼쪽 대둔근이 쑤실 즈음, 재하는 슬슬 핸드폰의 카메라 기능을 열었다. 가까이 보이게끔 줌을 쫙 당기고 드럼통의 사진 한 장을 박았다. 곧바로 누군가에게 문자를 보내고자 액정을 두드렸다.

상업용 대형 세탁기가 이불을 적셔 돌리는 빨래방 내부, 자취하는 행색의 기화대생이 영어 교재를 읽을 때, 재하와 의자에 나란히 앉은 누군가가 드럼통 사진이 뜬 핸드폰 액정을 만지작거렸다. 종합예술관 숙직실과 탕비실에서 재하에게 장난스레 교신했던 남선이었다. 이내 고개 든 남선이 금방이라도 얼굴을 뚫을 기세의 재하를 보자마자 흠칫 놀랐다.

"이거 뭐 어쩌라고?"

재하는 남선의 퉁명스러운 질문에도 주저하지 않고 되물었다.

"예쁘지 않아?"

남선의 얼굴에 재하가 이해하기 어려운 사람임을 다시금 인지한 표정이 드러났다.

"미친 새끼 같아⋯⋯. 너 다음 달에 근무지 옮겨라. 그냥 공대로 와. 잡생각 안 들어."

재하는 남선의 말에 일부러 코를 찡긋했다.

"거기는 야하지 않잖아."

"그래서 다행이지 않을까?"

"좆이나 까."

"너나 까."

대뜸 비행기가 불시착하듯 오른팔을 쿡 찌른 남선 탓인지,

재하는 미간이 일그러지는 동시에 어깨가 들썩였다.

"아, 씨발……."

남선이 급히 재하의 소매를 걷어냈다. 누렇고 퍼런 멍들이 재하의 오른팔 위에 여럿 새겨진 상태였다. 눈이 휘둥그레진 남선과 달리 재하는 두꺼운 팔뚝을 이리저리 돌리며 차분히 내려다봤다.

"왜 이래?"

"아까 목재 버리다가 그랬나……? 어쩐지 계속 감기 걸린 것처럼 아리다 했다. 됐어, 이따 냉찜질하면 돼."

"식겁했네. 병 걸린 줄. 조심해."

"뭐가?"

"아니, 왜, 그, 너 몰라?"

"그니까 뭐를?"

"그, 왜, 법대 관리원 있잖아. 우리 반장님들이랑 나이 비슷하신 분, 그 아저씨 오늘 나갔어."

멈칫한 재하는 남선을 돌아봤다.

"짤린 거야?"

"맞지. 법대 애들 세 명이었나, 지하에서 술 처마시고 탕비실 냉장고에 있는 반찬을 몇 개 좀 집어 먹었나 봐. 상하지도 않았는데 다음 날에 막 설사하고 토해서 병원 실려 갔대."

재하는 해고의 내막이 자신과 동떨어진 터라 고개를 갸웃했다.

"근데 그게 왜?"

"거기 학장이 관리원 과실이라 해서. 그 아저씨 장염 있었대. 애들한테 장염균이 옮은 거야. 시설과장 그래서 학장한테 욕먹고…… 하여튼 그랬대."

"아니, 왜……."

"내 말이."

재하는 남선에게 쏠린 몸의 방향을 천천히 원래대로 틀었다. 자잘한 긴장감이 등에서부터 밀려왔으나 잔잔히 참아내는 기색이었다. 다른 한편으로는 흡연 구역에서 법학관 소식에 관해 한마디도 없었던 인표가 슬그머니 떠오르기라도 한 건지, 건조한 잔기침 두어 번만 뱉고는 자세를 고쳐 앉았다.

"이거 병 걸린 거 아냐."

"알지. 너 튼튼하잖아. 같이 조심하자고."

재하는 앞니로 입술을 뜯었다. 그런 와중, 탈수 단계의 세탁기가 빠른 속력으로 빙글거렸다. 둥근 문의 강화 유리에 굴절된 재하의 모습도 일렁였다.

국밥집 주인이 계산대에서 핸드폰을 만지고, 통유리창 자리에 앉아 밥을 떠먹는 재하는 한입씩 씹어 삼킬 때마다 칙칙

한 바깥을 구경했다. 우람한 정문 인근에 깔린 가게들로 학생들이 오가는 풍경이었다. 슬슬 숟가락 끄트머리와 뚝배기 바닥이 긁혔다. 재하는 뚝배기를 받침대에 비스듬히 걸쳤다. 마저 헤집고 남은 양념장과 들깻가루 찌꺼기가 다였다. 재하는 물을 마셨다. 스테인리스 컵 안의 물도 조금밖에 남지 않았다. 재하는 손목을 둥글게 돌렸다. 그럴수록 컵 바닥에 깔린 적은 양의 물도 같은 방향으로 잔잔히 출렁였다. 코 한 번 훌쩍인 재하는 남은 물을 단숨에 들이켰다. 컵을 내려놓고 자리에서 일어나려는데, 형광등 교체를 도와줬던 키 큰 남학생이 같은 학부 동기 세 명과 함께 어디로 움직이는 모습이 보였다. 미술학부 학생들이 정문의 상가 건물들을 지나쳐 직진한다면 백이면 백, 과제 작업을 위해 서둘러 고물상에 가는 경우였다. 이윽고 그들이 시야에서 벗어났다. 재하는 맥없이 계산대로 향했다. 텅 빈 뚝배기와 컵 앞으로 드리운 넙데데한 햇빛이 긴 구름에 살며시 가려졌다.

종합예술관 입구의 아스팔트로 진한 그늘이 스며들어 경계가 뚜렷해졌다. 속력 줄인 엔진 소리가 가까워지듯 들려왔다. 시설관리 7반 승합차가 학생들 사이에서 예술의 언덕이라 불리는 경사로에서부터 내려온 까닭이었다. 시동 끄고 밖으로 나온 재하는 교내 커피숍 뒤꼍으로 향했다. 빈 페인트 캔과

해체된 바리케이드가 구석에 몰렸고, 커다란 바위들이 민둥산처럼 자리 잡은 외진 공간이었다.

재하는 바위 위로 올랐다. 경기 남서부의 소도시 전경을 내려다볼 즈음은 일과 종료까지 얼마 안 남았다는 걸 의미했다. 물론 아침과 달리 조금 편안한 인상이었지만, 재하의 머릿속에는 저 빼곡한 것들 사이로 내가 비집을 자리랄 게 있을지, 모르는 사람들에게도 웃는 얼굴로 환대받을 수 있을지, 대체로 잔걱정의 소리 없는 혼잣말들이 맴돌았다. 적어도 대둔근뿐 아니라 발바닥까지 욱신거려야 아래로 착지하기 일쑤였다. 재하는 다시 운전석에 몸을 실었다. 한적해진 종합예술관 주차장으로 진입했다. 전용석 같은 빈 라인에 딱 맞춰 승합차를 세웠다.

재하는 트렁크를 활짝 열었다. 턱에 걸터앉아 핸드폰 게임을 시작하려는데, 305호 강의실에서 물끄러미 보던 여학생이 앞에서부터 조심스레 다가왔다.

"저기, 기사님."

재하는 고개를 들었다.

"아, 네, 안녕하세요."

재하의 인사에 여학생이 쭈뼛거렸다.

"저…… 다름이 아니라 미술학부 학생인데요, 급하게 대못

이랑 케이블 타이가 필요해서요. 혹시 여분 있으시면 조금만 주실 수 있으실까요?"

재하는 고개를 끄덕였다. 트렁크 안으로 깊숙이 들어가 공구 상자를 열어 대못들이 담긴 지퍼백과 빈 지퍼백을 꺼냈다.

"몇 피스 정도 필요하세요?"

조금 긴장이 풀린 기색의 여학생이 또박또박 답했다.

"여섯 피스만 주시겠어요?"

재하는 빈 지퍼백에 대못 여섯 피스를 넣어 건넸다.

"케이블 타이 잉여분은 탕비실 가보실래요? 서랍에 크기 별로 담았거든요? 어차피 문 안 잠그니까 작업하시다가 더 필요하면 가져가세요."

"감사합니다. 혹시 그……."

이내 여학생이 두 눈을 내리깔뿐더러 입술에 연신 침을 바르기까지 했다. 내성적인 동생뻘이겠거니, 재하는 나긋한 목소리로 말했다.

"편하게 말씀하세요."

여학생이 조금 경직된 표정을 내보였다.

"탕비실 서랍이 정확히 어디 있는지 몰라서요……."

"아아, 들어가시면 바로 보여요. 갈색 삼단 서랍장."

"네, 감사합니다."

이내 여학생이 종합예술관으로 향했다. 재하는 인사하려다 멈칫했다. 공구 상자를 밀어 넣고, 여학생의 펄럭이는 바짓단에서 조금 위로 시선이 넘어갈 뻔했지만, 다리 뻗어 털썩 내려와 트렁크 문을 닫고서는 이마를 지압했다. 재하에게는 언젠가 한 번쯤 지나쳐 봤던 예술대학 게시물 속의 얼굴이었다. 안 들리게끔 웅얼대다 끝내 못 떠올린 나머지 스트레칭을 했다. 어느새 허한 파란빛이 종합예술관 주변 널리 깊어졌다.

3층 계단을 타고 2층으로 내려온 재하는 밤으로 어두워진 내부를 휴대용 손전등 불빛으로 가르며 나아갔다. 2층 복도 끝자락의 다인용 일체형 테이블에 종종 귀신이 있다던데, 방향을 꺾자마자 손전등 불빛을 비췄다. 아무도 없는 걸 보고는 꺼낸 핸드폰에 뜬 시간을 내려다봤다. 자정조차 안 된 시간이었다. 재하는 뒤 돌아 사라졌다.

환한 1층에 오니 연극전공생들의 발성이 웅웅 울리고 있었다. 게시판으로 간 재하는 기타 단과대 학술제 포스터들이 아닌 다른 무언가를 찾는 듯했으나 곧장 서류 테이블로 몸을 숙였다. 고무줄에 말린 포스터 여러 장이 담긴 플라스틱 바구니를 한참 뒤적거렸다. 그러다 노란색 배경이 힐끗 보이는 둥근 포스터를 발견했다. 재하는 고무줄을 풀고 드러난 면면 중한 명, 305호 강의실과 주차장에서 봤던 재작년 예술대학 부회장 후보, 검은 단복 차림의 윤수영을 보자마자 소리 없이감탄하고, 대강 정리하며 일어나 지하로 향하는 계단에 다다랐다. 내려갈수록 두꺼운 발소리가 서서히 잦아들었다.

한 단만 더 내려가면 퇴근이었다. 몇 걸음 안 되는 거리였다. 그러나 재하는 오른발을 더 뻗을 수 없었다. 분명히 출근하기 전, 자투리 복도의 의자에 앉혔던 그래플링 더미가 사라진 까닭이었다. 재하는 자전거 페달을 밟는 것처럼 내려갔다. 고개를 좌우로 돌려도 그래플링 더미가 보이지 않았다.

재하의 동공이 흔들렸다. 입술이 메마르고 호흡마저 거칠어졌다. 두 손과 고개가 오갈 곳 없이 움직였다. 턱과 눈을 누르듯 비볐으나 어느 것 하나 달라지지 않았다. 더 지체할 수없는 듯, 재하는 빈 의자에 시선을 풀지 못하고 냅다 오른쪽으로 질주했다.

어느 공실의 방화문을 열어젖힌 재하는 청소 도구와 망가진 책상만 있는 내부를 밝혔다. 그래플링 더미가 보이지 않았다. 재하는 지체할 것 없이 다음 공실로 향했다.

불을 켰는데, 텔레비전과 옷가지들, 대형 샌드백과 모조품들이 연극영화학부의 소품실 내부에도 그래플링 더미의 다리

한 짝조차 찾을 수 없었다. 곧이어 철컥하고 쿵, 하는 소리만이 울렸다. 울먹임이 섞인 맥 빠지는 숨까지 새어 나왔다.

끝내 숙직실 앞에 온 재하는 흐르는 땀을 닦으며 이마를 짚었다. 침을 서너 번씩 꼴깍 삼키고 기침을 뱉었다. 도대체 어디일까, 어디에 있는 걸까, 재하는 내내 생각하는데도 도무지 알 수 없었다. 재하는 무릎 굽혀 앉았다. 등줄기로부터 오한이 밀려오려는 차, 탕비실 문 앞의 바닥 틈새로 뻗친 형광등 불빛이 보였다. 일어나며 문을 마저 닫은 재하는 어깨 위로 스며든 서늘함에 고개를 돌렸다. 미술학부 실습실이 있었다. 탕비실 문처럼 아주 조금만 열린 상태였다.

재하는 그래도 아니겠거니, 미술학부 실습실의 문고리를 쥐어 잡았다. 두 눈을 질끈 감은 상태로 경첩의 녹슨 소리가 이어지게끔 문을 천천히 밀었다. 그리고 어두운 내부를 스위치 올려 밝힌 순간, 재하는 복부와 종아리가 저릿해지고 말았다.

난도질당한 그래플링 더미가 차디찬 바닥에 널브러져 있었다. 마치 유혈이 낭자한 것처럼, 더미 안을 가득 채웠던 수건과 헝겊 뭉치가 전신 골격 모형의 하체 사이로 엉켜있었다. 재하는 겨우 외마디를 뱉었으나 그마저도 목이 잠겨 입만 벌어진 모양새였다. 굳은 다리가 맥없이 풀렸다. 찢겨나간 라텍스 조각을 만지작거렸다. 재하의 두 눈이 충혈됐다. 부르르 떨리는 입술을 손등으로 눌렀다. 굽어진 등마저 좀처럼 펼 수가 없는 와중, 구석의 가방 위에 놓여있는 작은 크기의 지퍼백을 발견했다. 그 안에는 대못 여섯 피스가 담겨있었다.

울음 참아 붉어진 재하의 얼굴이 다시 창백해졌다. 양쪽 귀가 먹먹해지며 시야가 흔들리는데, 바깥에서 적어도 두 사람이 내려오는 소리가 들려왔다. 흠칫 놀란 재하는 비틀거리며 실습실을 빠져나와 경사로가 펼쳐진 좌측 출입문으로 질주했다.

정확히 다섯 시간 전, 재하가 인표와 목재 가림막 안에서 수다 떨 무렵, 3층 흡연 구역에서는 미술학부생 다섯 명이 서성거리는 중이었다.

수영은 벤치에 앉은 채 무기력한 기색으로 신발을 내려다보며 담배를 피웠고, 305호 형광등 교체를 도왔던 키 큰 남학생 원모와 나머지 세 명이 팔짱 끼우거나 주머니에 손 넣은 채 서 있었다. 저마다 골똘하고도 덤덤한 얼굴인 와중, 남학생 1이 먼저 말했다.

"바로 고물상 가야지, 뭐. 시간 없어도 수영이는 사정 말하면 이해 해주지 않을까?"

원모가 수영을 힐끗 보고 남학생 1에게 말했다.

"아니, 좀 도와주지, 수영이."

남학생 1이 실소와 함께 답했다.

"우리 연락했어, 계속. 수영이 폰 꺼져 있어서……."

"원래 작년에 삼학년들 안 건드렸는데……."

이어지는 남학생 2의 한탄에 남학생 3이 말했다.

"가자, 따지러. 뭐 하는데? 일어나. 가자."

원모와 남학생 셋이 실실거렸다. 수영도 몸이 들썩였다.

"정크 아트 원래 이학년 과목이라 더 그래. 솔직히 교수는 복학생들 있는 게 싫고. 그러니까 얘가 말하는 게, 작년에는 형이랑 누나들이 하도 지랄해서 교수가 포기한 거거든."

원모는 남학생 3의 말에 고개를 끄덕였다. 수영의 등을 쓸어주고는 나직이 말했다.

"괜찮아, 이따 애들이랑 고물상 다녀올게."

"다 들려."

"커플 존나 싫다."

남학생 세 명이 또 실실거리고, 원모는 남학생 1과 2의 볼멘소리에 장난스레 코를 찡그리며 중지를 내보였다.

"아, 같이 가줘. 얼마나 걸린다고."

"내 마음이 걸려, 너 때문에."

"책임져, 변태 새끼."

남학생 2와 3의 엉뚱한 답이었다.

"아, 존나 스트레스……."

원모에게만 들리는 수영의 나지막한 목소리였다. 수영은 허리 숙여 허벅지에 얼굴을 파묻었다. 남학생 셋이 멋쩍은 얼굴로 수영을 힐끗대더니 각자 조용히 뒤돌아 웃음을 참았다. 그것도 모르고 무릎 굽혀 앉은 원모가 연신 수영의 등을 쓸어

줬다. 그래도 수영은 좀처럼 고개를 들지 않았다.

그리고 재하가 군단 인근의 공터로 향했을 무렵, 수영은 지하로 향하는 계단 초입에서 한 발짝도 떼지 못하고 있었다. 나갈 듯 말 듯, 무릎이 먼저 굽혀진 탓에 종아리가 울렁거릴 뿐이었다. 그리 긴 시간이 흐르지 않았지만, 오죽하면 헐렁한 옷차림의 연극전공생들이 수영의 뒷모습을 흘겨보며 유유히 소극장으로 지나갈 정도였다. 수영은 비로소 그들의 시선을 감지했다. 그리고 딱 한 칸, 수영은 발을 디뎠다.

내려가고 내려가니 자투리 복도 한가운데에 재하의 그래플링 더미가 앉아있었다. 주로 이른 아침일 때, 수영은 원모와 몰래 공실을 빠져나오며 언제나처럼 앉아있는 그래플링 더미를 자주 훔쳐봤다. 사람처럼 생겼으나 결국 무생물이고, 조잡하더라도 복부 부분에 새겨진 복근이 인상 깊었다. 더구나 딱 한 번일지언정 무엇인가 구상하고픈 욕구를 자극하는 재료였기에 어떤 아릿함이 흥부의 신경계를 건드리는 경우가 파다했다. 이윽고 계단 열 칸을 더 내려간 수영은 부쩍 가까워진 그래플링 더미를 제대로 보자마자 오른손의 검지를 살살 깨물었다. 치아 자국난 검지부터 천천히 뻗었다. 그래플링 더미의 얼굴을 만질수록 피톤치드 향을 지닌 탱탱함이 느껴졌다. 마른 입술이 서서히 벌어지려는 순간, 수영은 지상에서부터 저벅거림이 들려오자 급히 멈칫했다.

"수영아."

원모의 목소리였기에 눈을 깊이 감았다 뜬 수영은 옅은 숨을 내쉬었고, 금방 내려와 옆에 멈춰 선 그에게 눈길 한 번 주지 않았다. 곧 원모가 그래플링 더미와 수영의 옆얼굴을 번갈아 봤다.

"뭐해?"

수영은 원모에게 나지막이 답했다.

"그냥……."

이내 원모가 그래플링 더미에게 딱밤을 때렸다.

"얘는 볼 때마다 신기하게 생겼네."

"그니까."

"연영 애들 소품 같지?"

원모의 순진한 물음에 수영은 콧김을 뿜었다.

"아닐 걸……."

수영의 말끝이 흐려졌다. 앞니로 입술을 자근자근 씹더니, 얼마 안 있어 얼굴 위로 곤란함과 아릿함이 뒤섞여 떠올랐다. 고개를 돌린 수영에게는 숙직실 방화문 하단의 팻말이 보였다. 정에 정인표, 부에 김재하, 종합예술관, 즉 시설관리 7반의 책임자와 대무자의 명단이었다. 특히 수영은 재하의 이름을 보니 눈이 쓰라렸다.

그러나 눈이야 비비면 그만이었다. 다시 고개를 앞으로 튼 수영은 표정이 싹 바뀌는 걸로 모자라 그래플링 더미의 어깨 부분을 쥐었다.

"주재료 찾았어."

수영의 짧은 확언과 더불어 약 세 시간이 흘렀을 때, 재하가 국밥집 통유리창으로 원모와 조형전공생들을 관망했고, 교내 커피숍 뒤켠에 들렀다가 종합예술관 주차장으로 도착하기까지 약 한 시간 이십여 분이 더 소요됐다. 그럴 즈음에 수영은 재하에게 대못 여섯 피스를 받자마자 인사는커녕 곧장 목재 가림막으로 들어갔다. 타르와 아라비카 향이 여전한 바람에 미간이 찌푸려졌으나 차분히 원모에게 전화를 걸었다. 아직 고물상인지, 다른 재료들도 찾았는지, 언제쯤 도착하는지를 물으며 대못 여섯 피스와 케이블 타이는 관리원에게 구했다는 내용까지 전했다.

그래서 수영은 실습실에서 그래플링 더미의 복부를 가윗날로 갈라버릴 수 있었다. 원모가 조형 담당 조교에게 전자담배 액상을 건네며 미리 실습실 출입 기록서까지 작성했겠다, 더구나 재하가 종합예술관 외부부터 순시를 돌기에 수건과 헝겊 뭉치도 거침없이 빼냈다. 이내 원모에게 종합예술관 앞에 도착했다는 연락을 받은 수영이 밖으로 나간 사이, 내부 순시를 마친 지 얼마 안 됐던 재하가 그 참극을 마주한 것이었다. 이미 약 한 시간 삼십여 분이 마저 다 지났을 때였다.

재하가 복도를 내달려 밖으로 나가고 나서 수영과 원모는 특수 목재를 한 단씩 든 채 다시 실습실로 들어갔다. 특수 목재를 바닥에 내려놓은 수영은 살짝 열린 문을 보고는 혼잣말이 새어 나왔다.

"불을 켜고 나갔었나?"

뭉친 어깨를 누르던 원모가 수영을 보며 말했다.

"관리원 아저씨 들어왔다 나갔겠지."

"관리원?"

갑작스러운 아릿함을 억누른 수영은 그 역력함까지 채 못 숨겼다. 원모는 그녀의 모습에 조금 놀란 기색이었다.

"왜?"

"아니, 아니야, 그냥……."

"그냥 들어왔다 나간 거겠지."

"알아, 나도, 응……."

이에 원모는 시원찮은 답변이었는데도 그저 고개를 끄덕였다. 구석에 널브러진 가방으로 향해 하얗고 자그마한 향초를 꺼냈다. 짧은 심지에 라이터 불을 지졌다. 이내 목화의 은은 한 향이 올라왔다.

"이거 아까 다이소에서 샀어. 괜찮을 것 같아서."

향을 들이마신 수영은 높잖게 솟아오른 눈썹 끄트머리를 서서히 내려 앉혔다. 물론 원모의 구매 경로가 귀에 감기지는 않았다.

"나 저거 집에 더 있어."

"잘 어울려."

"나 안아줘."

실실 웃고 짧은 포옹을 나눈 수영과 원모는 분주히 가위질과 톱질을 시작했다. 줄자로 전신 골격 모형의 하체와 헐렁해진 그래플링 더미의 길이를 재기도 했다.

실습실 문 너머로도 그들의 움직임과 뚝딱거림이 들려왔다. 좌측 출입문 바깥의 자투리 공간, 젖은 담배꽁초 수북한 업소용 황도 캔과 바스러진 날벌레들의 좁고 눅눅한 음지에서, 무릎 굽혀 앉은 재하가 묵직한 숨을 깊이 삼키는 줄도 모르고, 쌀쌀한 새벽으로 다다를 뿐이었다.

어느새 날이 밝았다. 재하는 얼굴 묻은 자세 그대로 깊은 잠에 빠진 상태였다. 겹친 두 팔 사이로 살며시 나온 그의 얼굴에는 눈물 자국이 말라붙어 있었다.

한편, 지하 복도 천장의 두꺼운 배관에서는 물이 내려와 지나가는 중이었다. 실습실 문을 열고 나온 사람은 원모였다. 그가 어렵사리 어깨에 진 건 특수 목재로 만들어진 십자가였다. 정확히는 전신 골격 모형의 하체를 지닌 그래플링 더미의 큰 십자가였다. 원모는 지상으로 향하는 계단을 조심스레 한 칸씩 내디뎠다.

원모는 오르고 올라 가까스로 3층에 다다르고, 미술학부의 공실 앞에서 발로 문을 건드리듯 두드렸다.

"네, 잠시만요."

305호 강의실의 형광등 교체를 함께 도왔던 키 작은 남학생이자 후배인 민머리가 나왔다. 힘 풀린 원모에게 더미 십자가의 상단을 손으로 받아냈다. 한 걸음씩 들어간 원모와 민머리가 정크 아트 작품들이 널린 내부 빈자리에 더미 십자가를 내려놓았다.

"뭔데, 이거?"

"수영이 작품."

민머리가 더미 십자가를 위에서 아래로 대충 훑었다.

"이거 톱질 형이 한 거지?"

원모는 별안간 멋쩍은 미소를 내보였다. 원모의 표정을 느지막이 올려다본 민머리가 인상을 잔뜩 구겼다.

"왜 형이 다 하냐?"

원모는 괜스레 민머리의 팔을 툭 건드렸다.

"아, 괜찮아. 오래 안 걸렸어."

"시간이 아니라…… 이거 점수를 형이 받아야 돼."

"필요 없어. 학생회관은 몇 시에 가?"

민머리가 핸드폰을 두드려 시간을 확인했다.

"열 시? 그쯤 가야지. 너무 멀어. 왜 과제 전시회를 거기서 하냐고……."

"같이 해, 이따가. 도와줄게."

"수영이 누나는?"

"아까 깨워서 내 방으로 보냈어."

"다시 불러."

민머리의 알 수 없는 중얼거림이 이어졌다. 원모는 민머리의 등과 어깨를 차례대로 꼬집었다. 민머리가 몸부림쳐도 꼬집는 부위가 늘어났다. 두 사람의 얼굴에 장난기가 번졌다.

원모의 자취방 내부는 정돈된 침대 위로 방충망 자국의 햇빛이 내려앉은 한편, 바닥에는 수영의 옷가지들이 널브러진 상태였다. 속옷 차림의 수영은 냉장고 위의 전자레인지 커버에 뜬 얼굴을 빤히 보는 중이었다. 막 씻고 나온 터라 앞 머리카락과 이마에 맺힌 물방울이 뚝뚝 떨어지는데도 좀처럼 숙인 허리를 펴지 않았다. 어딘가 몰입한 기색의 수영은 중얼거리기만 했다.

"그리스도의 해부학입니다…… 그리스도의 유해입니다…… 크리스천의 해부학입니다……."

전시회에 올라갈 더미 십자가의 제목을 떠올리는 걸로 모자라 관객들 앞에서 설명하는 상황을 상상하는 모양새였다. 족히 다섯 번 이상을 중얼거린 수영은 등에 얹었던 수건으로 머리와 얼굴을 마저 닦았다.

기화대학교 정문 옆에는 하수라고도 무방한 실개천이 흘렀다. 기다란 수초들이 허리 꺾여 넘실거렸고, 빈 소주병과 라면 봉지들도 넘치는 터라 오물을 쪼아먹은 참새 사체가 종종 보이는 곳이지만, 이 또한 낭만이라 떠드는 젊은 학생들이 징검다리를 건너고는 했다. 때마침 원모의 검은색 오버핏 블레이저 차림의 수영도 징검다리에 발을 디뎠다. 썩은 물이더라도 헤엄치는 민물고기들이 보였다. 멍하니 내려다본 수영은 조약돌 하나를 쥐었다. 퐁당, 하며 빠뜨리니 둥근 파동이 일었다. 수영은 조약돌들을 내내 주웠다. 민물고기들이 산개하는데, 그게 그리 중요하지 않아 보였다. 이내 시시해진 수영은 손을 털고 핸드폰 카메라 기능을 열었다. 액정 한가득 수영의 화사한 얼굴이 담겼다. 촬영 버튼을 눌렀다.

학생회관 지하, 이리저리 솟은 그라피티가 그려진 건조한 곳, 계단에 걸터앉은 원모와 민머리가 담배 한 개비씩 태우며 한참 수다 중이었다.

"엠티 때, 형, 늦게 왔는데, 막상 오니까 분위기 싸했던 거 기억해요?"

원모는 무슨 말이 나올지 아는 듯, 얼굴을 긁적였다.

"어, 알아."

"학생회 형들끼리만 모여서 술을 좀 마시고 싶었나 봐. 수영 누나는 이미 취해서 여자애들 방에서 자는데, 갑자기 애 하나가 학생회 방을 급하게 두드린 거야. 나는 솔직히 수습도 아닌데 그때 고생 많이 했다고 껴있었으니까, 그 자리에. 그래서 문 열어줬죠."

"그래서 수영이가 여자애들 싸대기 후리면서 학생회 애들 어디 있냐고 막 지랄했다며."

"진짜 존나 깜짝 놀라서 여자애들 방 가보니까 애들 다 울고 있는 거야. 뭐라더라, 합의금 줄 테니까 그냥 맞으라고? 나 순간 그 말 전해 듣고, 진짜로 구라치는 게 아니라…… 연영과인 줄 알았어요, 그 누나만. 하여튼 그때 교수님들 귀에 안 들어간 게 다행이지."

원모는 옅은 한숨을 내쉬었다. 민머리가 힐끗댔다.

"괜찮아. 나도 답답해서 그래."

피곤한 기색의 원모를 보던 민머리가 고개를 끄덕였다.

"근데 한 시간 지나서인가? 형이 왔고, 지금처럼 같이 담배 피우면서 얘기하는데 여자친구가 윤수영?"

원모와 민머리가 낮은 웃음을 터뜨렸다. 두 사람이 서로의 등을 천천히 토닥여 줬다.

"형이 미안해. 너랑 애들이 힘들었던 건 들었어, 나도……. 그리고 수영이가 항상 그런 건 또 아니야. 여린 면도 있어. 알잖아."

"그렇지, 조형 팀플하는데 도면이랑 실물도 못 맞추고, 총학 이랑 봉사활동 간다고 빤스런 하고."

듣고 나서 큰 웃음을 터뜨린 원모는 민머리의 머리를 박박 비볐다. 민머리가 아파하면서도 따라 웃는 와중, 뒤에서부터 누군가 저벅거리며 다가왔다. 정장 세트가 걸린 옷걸이를 든 수영이었다. 원모와 민머리가 동시에 고개를 돌렸다.

"왔어?"

"안녕하세요."

수영은 원모와 민머리 사이를 비집고 들어가 앉고, 서서히 두 사람의 웃음기가 잦아들며 침묵이 흘렀다.

"둘이 무슨 얘기해?"

수영의 질문에 원모가 먼저 말했다.

"그냥 이런저런 얘기."

"아, 누나, 과제 잘 만드셨던데요?"

수영이 반응 하나 없자 민머리와 눈빛 교환을 하고, 원모는 주머니에서 담뱃갑을 꺼냈다.

"담배 있어? 하나 줄까?"

"헤에, 고마워."

수영은 한 개비 꺼내 물었다. 라이터 불을 지지고 나서도 여전히 침묵이 흐르고, 원모가 민머리에게 말했다.

"올라가서 섹션 확인만 좀 해줘."

"오케이."

경직된 미소를 지은 민머리가 자리에서 일어나자마자 냅다 위로 올라갔다. 수영은 계단 오르는 소리가 잦아들자 그제야 자리를 꿰찼다. 그런데도 원모와 수영은 담배 연기만을 내뿜기 바빴다.

"어제 애들 얘기한 거."

원모가 놀란 기색을 감추며 수영을 돌아봤다.

"어? 어."

"나한테 연락한 적 없었어, 정크 아트."

원모는 천천히 다시 고개를 앞으로 틀었다.

"그럴 것 같았어. 다 했잖아, 근데. 괜찮아."

여유 있는 느낌으로 답변했지만, 원모는 연신 수영을 힐끗대고는 짧아진 담배의 불씨를 튕겼다. 한 개비 더 꺼내 피우려던 차, 수영이 자리에서 일어나 계단을 올랐다. 콧김을 뿜은 원모가 목뼈를 풀고 그녀를 따라갔다.

학생회관 2층의 빈 복도 사이로 정크 아트 과제들이 전시돼 있었다. 왼쪽 세 번째 자리에 더미 십자가가 서 있었다. 정장 세트로 갈아입은 원모와 손잡고 거닐던 수영의 눈에는 복도 가운데의 빈자리가 들어왔다.

"자리 못 바꾸나?"

"어디로?"

수영은 손 뻗어 가리켰다.

"저기 중앙."

원모는 낮은 목소리로 호응했다.

"괜찮지, 저기도. 윤수영 고참이니까."

수영은 고참이라는 단어에 피식 웃었다. 슬슬 눈 감기던 원모가 피식거림에 급히 그녀의 얼굴을 보고, 엷은 미소를 지으며 겨우 하품을 참았다.

"맞다, 제목은?"

원모의 질문에 멈칫한 수영은 눈을 번뜩였다.

"어, 정했어……. 그…… 크리스천 해부학."

원모가 감탄사를 삐끔거렸다.

"오, 제목 뜻이 뭐야?"

수영은 눈빛이 멍해졌다.

"그냥 그거야. 뭐 없어."

수영과 원모는 어이없다는 기색으로 실실 웃고서는 다시 거닐었다. 이윽고 원모가 수영에게 귓속말을 전했다.

"다 옮기느라 진짜 뒤지는 줄. 그냥 종예관에서 하지."

"응응."

수영은 그러든 말든 자연스레 원모와 손을 놓았다. 팔짱을 끼운 채로 가운데 빈자리를 보며 턱을 괴었다. 입술이 삐죽 튀어나온 원모가 걷다 멈추고는 주머니에 손을 넣었다.

물 묻은 디지털시계가 정오로 향했다. 숙직실의 매트리스와 책상, 자바라 옷걸이와 옷가지들, 크고 작은 집기들마저 여기 저기 뒤엉켰다. 바스러진 플라스틱과 유리도 천장을 향해 날 서 있었다. 그리고 무엇보다 동메달 액자와 주짓수 도복 차림 의 재하가 담긴 액자 또한 긴 금이 간 채 바닥 한가운데에서 형광등 빛을 받았다.

얼마 안 있어 그나마 상태가 온전한 책상 아래의 무전기로부터 인표의 목소리가 새어 나왔다.

"재하야."

답이 없었다.

"재하야, 바깥에 있니?"

내내 답 않던 재하는 2층 교수 연구실 구역 초입의 세미나 테이블 앞에서 등 굽은 자세로 서 있었다. 플라스틱 바구니에 쌓인 「미술학부 조형전공 정크 아트 과제 전시회」 팸플릿 여러 장을 양 손가락 끝으로 만지작거렸다. 눈물 자국 여전한 재하의 와잠 위로 회색빛이 비꼈고, 인중과 턱에 수염이 거뭇해진 것조차 모르는 모양이었다.

흐릿한 하늘 아래, 무채색 승용차 서너 대만 주차된 정보전산원 맞은편, 재하는 아래로 향하는 돌계단 앞에 멈춰 섰다. 재하는 과제 전시회가 열리는 학생회관 건물의 적갈색 벽돌들이 유독 진해 보였다. 이전보다 더 붉어진 두 눈에 서늘한 북풍이 불어왔다. 재하는 눈 한 번 찡그리지 않고 요지부동을 유지했다. 이내 입을 앙다문 채 깊이 들이마시고 내쉰 후, 숨이 안으로 말려 격한 기침을 뱉었다. 돌계단마다 바스러진 나뭇잎과 잡초 조각이 뒹구는 게 비로소 보였다. 재하의 입꼬리가 일렁거렸다. 오른발을 뻗어 한 칸씩 디디며 내려갔다.

잰걸음보다도 빠른 속력이었다. 신호등 없는 색바랜 횡단보도를 건넌 재하는 편의점과 와플 가게가 보이는 현관으로 단숨에 다다랐다.

고개가 오른쪽으로 기운 크리스천 해부학이 수영의 말마따나 가운데 빈자리로 교체됐다. 2층 비상구 문 앞에 선 재하는 양 어금니를 깨지게끔 깨물었다. 턱선에 힘이 들어가 얼굴 윤곽이 진해지는 와중, 전신 골격 모형의 두 발이 살살 흔들렸다. 끼익, 쿵, 재하가 문이 열리고 닫히는 소리가 들리는 쪽으로 시선이 쏠렸다. 수영이 공실 출입문 앞에서 굳은 얼굴로 재하와 마주치고 말았다. 수영이 몇 걸음 물러나며 뒤 돌아 걸어 나갔다. 이에 재하는 움직이려던 차, 앞으로 살짝 뻗은 몸을 도로 멈칫했다. 비무장의 등산객을 엿탐하는 곰과 같았다. 그저 심호흡만 했다.

불 꺼진 먼발치로 바닥에 웅크려 앉은 재하의 모습이 점만 한 크기로 보였다. 이내 두 손으로 머리카락을 쥐더니, 손을 오므렸다 펴기를 반복했다. 느린 호흡과 함께 들썩이며 낮고 굵은 괴성을 지르기 위함이었다. 재하는 이에 더해 서서히 흐느낌을 섞었다. 그러기만 여러 번이었다. 얼마 안 있어 축 처져 넘어지고 말았다. 바로 뒤쪽에 있는 자투리 공간의 목조 의자에까지 흐느낌이 넘어왔다.

다음 날, 종합예술관 뒤켠에서 큰 상자를 연 인표가 케이블 타이 여러 묶음이 담긴 케이스들을 하나씩 꺼냈다. 인표 뒤에 선 재하는 클립보드 잡은 손을 가슴께로 올려도 도로 처지는 바람에 괜스레 목을 주물렀다.

"한 박스마다 육십 개."

재하는 클립보드에 인표가 하나씩 일러주는 수를 맥없이 적더니, 눈을 질끈 감았다 뜨며 머뭇거리다 겨우 입을 뗐다.

"반장님."

"어."

"저…… 물건을 잃어버린 것 같아요."

재하 쪽으로 고개를 돌린 인표가 힘겨운 소리를 내며 일어나 돋보기안경을 고쳐 썼다.

"무슨 물건? 어제 그래서 안 보였구먼."

"아, 예, 죄송합니다, 그…… 사실 누가 훔쳐 간 것 같은데 짐작 가는 사람도 있거든요. 제가 얼굴도 봤어요."

인표의 얼굴에 생각이 많아졌다는 기색이 드러났다. 검지로 핸드폰 액정을 느릿느릿 두드리며 말했다.

"귀중한 거야?"

"예."

"누가 가져갔는데?"

재하는 더 뜸을 들이다 말했다.

"조형전공 학생이요."

인표가 급히 재하를 쳐다봤다.

"어?"

"조형전공 학생이 그랬어요."

이내 누군가에게 문자를 보내는 듯, 인표가 재하를 힐끗대며 액정을 더 빨리 두드렸다.

"누군지도 아는 거지?"

"예……."

"그, 어, 지금 가면 시설과장 있을 거야. 이거 물량 체크만하고 후딱 가 봐. 얼른 해결해야지, 뭐."

재하는 등을 반 정도 숙여 인사했다.

"감사합니다."

인표가 다시 무릎 굽혀 앉으면서 작업이 재개됐다. 상자 안에서 케이블 타이 케이스가 많이 나올수록 재하도 펜으로 클립보드를 바삐 두드렸다.

교수회관 1층의 로비, 재하는 시설과장과 구석의 응접 테이블에 마주 앉아있었다. 시설과장이 펼친 수첩 위로 면담 내용들을 적을 때, 재하는 인스턴트커피를 마시기는커녕 굳은살 박인 두 손을 깍지 꼈다.

"그 더민가 하는 게 정확히 얼만데?"

질문이 감긴 재하는 시설과장과 눈을 마주했다.

"예, 저, 이십팔 만원이요."

곧 시설과장이 펜 버튼을 누르고 수첩을 접었다.

"그럼 김 기사 급여로 살 순 있겠네, 그렇지?"

재하는 의아한 기색을 감출 수 없었다.

"네?"

"이게 미안한 게, 잘 알겠지만, 솔직히 학생들이랑 다퉜다간 더 곤란해져. 특히 교수들 귓전으로까지 들어갔을 때는 정 반 장님이랑 김 기사, 우리도 책임지기가 어려워서 그래."

완곡한 거절이었다. 재하는 어찌할 바 몰라 뭐라도 더 떠들 어야 하나 생각했으나 다시 입을 열었다.

"아니, 그게 아니라요, 저는 다시 사고 안 사고를 떠나서 그 런 걸 바라는 게 아니고 -"

"그럼 우리가 어떻게 해주면 될까?"

말이 채 완성되기도 전에 질문이 불쑥 나온 탓인지, 재하는 뒷머리를 긁으며 안 들리게끔 한숨까지 내쉬었다.

"아니, 저는 -"

"김 기사야, 알아. 근데 들어오는 컴플레인만 하루에 수십

개가 넘어요. 그거 다 해결하려면 전 강의동 관리원들 외주로 교체할 수밖에 없어. 나도 그건 원하진 않거든? 정 반장님이랑도 여태 본 세월이 있으니까. 미안하지만 다른 건 내 선에서 가능한데…… 이건 힘들다. 진짜 미안타. 그냥 어린애들이 실수했다 치고 조용히 넘어가자."

재하의 표정이 일순간 서늘해졌다.

"실수요……?"

"미안해. 요즘 좀 흉흉하잖아. 법대 이슈도 그렇고."

명치가 뜨거워져도 이상할 것 하나 없었다. 차라리 주먹으로 내려쳐 깨뜨려 버릴까, 그래도 내색하지 않은 재하는 온기가 그대로인 종이컵을 들어 인스턴트커피를 단숨에 들이켰다.

점심 이후, 공학관 초입의 대형 재떨이 안으로 담뱃재가 서리 털 듯 떨어졌다. 억누르는 기색의 재하는 담배 연기를 내뿜는 동시에 들이마시기를 반복했다. 바로 옆자리의 남선이 재하가 담배 잡은 손에 박인 굳은살과 그의 얼굴을 훑고 나서 조심스레 왼팔을 주물렀다.

"빡치겠네."

남선의 단마디에 재하가 콧김을 뿜었다.

"응."

"걔네 얼굴 보기도 싫겠다. 나이로 치면 동생뻘인가?"

"뭐가 중요하냐, 그게. 씨발……."

남선이 많이 길어진 담뱃재를 느지막이 털었다.

"근데 재하야, 있지, 나 돈이 없다. 요즘 조금 빠듯해져서. 미안해."

고개 들어 남선을 본 재하는 목소리가 조금 높아지고 말았다.

"뭐라는 거야, 너. 달라고 한 적도 없어. 내가 삥 뜯으려고 왔다는 거야, 지금?"

"아니, 아니, 그게 아니라 재하야 -"

"대뜸 개소리야, 왜……."

"아니, 아, 미안……."

이내 재하는 담배를 끄려다 말고 다시 말했다.

"미안하다는 말 하지 마."

남선이 재하의 어금니 꽉 깨문 끝맺음에 숨죽인 채 고개를 끄덕였다. 재하는 담배를 바닥에 내리꽂았다. 그러나 곧장 담배를 주워 불씨를 빼고 재떨이에 넣은 남선을 한 번 노려봤지만, 내지르려다 멈칫한 듯, 눈을 깊이 감았다 뜨고 눈가를 지압했다.

어김없이 밤이 깊어졌다. 난장판이었던 숙직실 내부는 꽤 정리된 상태였다. 오직 책상의 스탠드 라이트만 켜진 와중,

재하는 비스듬히 앉아 빈 종이를 내려다보며 펜 버튼을 눌러
댔다. 더구나 이미 맥주캔 세 개를 구겼는데도 이마의 땀방울
이 마르지 않는데, 저녁용 항우울제 두 포를 미리 뜯었기에
격한 콧김이나마 가라앉힐 수 있었다. 재하는 책상 가까이 가
슴팍을 붙이고, '윤수영 학생'이라는 다섯 자에 이어 긴 문장
을 술술 써 내려갔다.

—   —   —

윤수영 학생, 안녕하세요.

저는 본교 시설관리 7반의 관리원 김재하입니다. 일전에
대못이랑 케이블 타이를 빌려줬던 걸 기억하실지요?

잘 쓰셨는지 궁금합니다만 이 편지로 꼭 전해야 할 말이
있습니다. 그러니 처음부터 끝까지 다 읽어주셨으면 좋겠습니
다.

저는 수영 학생이 나중에 훌륭한 예술가로 성장하길 바랍
니다. 그러나 타인의 물건을 허락 없이 훼손하는 예술가가 되
는 건 저뿐만 아니라 다른 사람들도 바라지 않는다고 생각합
니다.

수영 학생이 가져간 저의 그래플링 더미는 과거의 꿈과 땀
이 저장된 소중한 물건입니다. 저는 언제든 숙직실에 있습니

다. 제게 다른 건 필요하지 않습니다. 명확히 사과 해주실 것을 진심으로 부탁드립니다.

　김재하 올림.

—　　　　　　—　　　　　　—

　날 밝은 3층의 흡연 구역, 수영은 꼬깃꼬깃한 편지의 세 번째 문단 마지막 줄을 읽는 중이었다. 더불어 담배 연기를 내뿜고 잔기침과 함께 짙은 침을 뱉었다. 그럴 즈음에 원모가 통창 너머의 복도에서 수영을 보자마자 열린 문으로 들어와 서성였다. 원모가 장난스레 슬금슬금 가까이 다가오는 동시에 '김재하 올림'까지 다 읽은 후, 편지를 접은 수영은 눈썹이 일그러지는 걸로 모자라 담배 한 개비를 더 꺼내더니, 연기를 잘못 삼킨 탓에 허리 숙여 토하듯 기침을 뱉었다. 놀란 원모가 곧장 수영의 등을 감싸 안으며 접힌 편지를 만지려 했다. 그의 손길을 막아낸 수영은 호흡이 진정돼 맺힌 눈물을 닦았다.

　원모의 자취방 바닥으로 두 사람의 외투가 포개졌다. 수영과 원모 각자 수프가 담긴 잔을 들고 침대에 기대 나란히 앉았다. 이른 시간의 차디찬 바람에 얼음장이었던 얼굴들이 수프 한 모금으로 불그스름해졌다. 윙윙, 책상 위, KF-94 마스크와 포개진 수영의 핸드폰에 짧은 진동이 울렸다. 원모가 수영의 핸드폰을 집어 액정을 두드렸다.

"누구야?"

"교통 대금."

"얼마래?"

"만 이천…… 칠백구십 원."

수영은 원모에게 핸드폰을 받고 수프 한 모금을 더 넘기며 말했다.

"자기야, 혹시…… 십만 원만 빌려줄 수 있어?"

원모는 자세를 고쳐 앉았다.

"왜?"

그 즉시 눈을 이리저리 굴린 수영은 자리에서 일어나 개수대 선반 위로 잔을 내려놓았다. 오른손으로 타자 치듯 선반을 한참 두드리다가 원모 쪽을 돌아보며 말을 이었다.

"사과할 사람이 있어. 배상금…… 같은 게 필요해서."

"누구랑 싸웠어?"

"싸웠다기보다는 그거는…… 아니야. 내가 너무 좀 급해서 허락도 없이 빌린 물건이 있는데 –"

급히 일어나 수영의 외투를 집어 든 원모는 주머니에 손을 넣어 편지를 꺼냈다. 편지를 채가고자 뻗은 수영의 팔을 이리저리 피했다.

"윤수영."

두 번째 문단까지 읽은 원모의 표정이 싹 굳었다.

"아니, 잠깐 들어 봐."

원모는 어깨 위로 올라오려는 수영의 손을 뿌리쳤다. 마저 다 읽고 나서야 수영을 마주했다.

"연영 애들 소품이라며?"

"그건 내가 아니라고 했잖아."

원모는 고개를 젖혀 숨을 내쉬었다.

"야, 아니든 뭐든 너 이거 절도잖아."

수영은 정적과 동시에 서늘한 표정을 내보였다.

"야?"

외려 놀란 나머지 가슴이 막힌 듯, 원모가 편지를 책상에 조심스레 내려놓고 수영의 날 선 눈을 피했다.

"긴장 안 해?"

"수영아, 그게 아니라 –"

"변명하지 마. 너만 편해지자고 떠들 거면 그냥 닥쳐."

수영은 원모의 팔을 잡으며 다시 말을 이었다.

"무서워?"

그제야 원모가 고개를 들었다.

"묻잖아. 무섭냐고."

수영은 미동마저 없었다. 원모가 옅은 콧김을 내뿜었다.

"어, 무서워."

수영은 원모의 허리춤을 감고는 똑바로 올려다봤다.

"옆에 누가 있지?"

원모의 귀로 수영의 나직한 목소리가 감겼다. 수영은 그자 애써 벽을 돌아보기에 허리춤을 더 세게 감았다.

"그리고 나한테 또 야라고 부를 거야?"

"아니……."

수영의 눈꼬리가 높이 솟아올랐다.

"이름으로 불러, 알았지?"

"응, 알았어…… 미안해."

점차 옅은 미소를 지은 수영은 원모의 상의 안에 살며시 손을 넣어 옆구리를 주물렀다.

"십만 원도 빌려주고."

"응……."

수영은 초롱초롱해진 눈빛을 띠워 그의 옷소매를 깨물었다. 원모가 화들짝 아파하면서도 머뭇거리며 수영의 머리를 쓰다 듬었다. 소매를 걷어 올리니 수영의 치아 자국이 팔에 선명히 새겨진 채 드러났다.

교내 순환버스가 정문의 정류장을 떠난 참이었다. 플라스틱 벤치에 앉아있던 원모가 슬슬 일어나 ATM 앞으로 향했다. 손때 묻은 강화 유리에 둘러싸인 수영이 인출기 화면을 바삐 누르는 중이었다. 원모의 정신 없는 노크에 슬쩍 눈길만 줬다. 이내 현금을 뱉는 요란한 기계 소리가 바깥으로도 새어 나왔다. 수영은 그제야 원모에게 브이를 펼쳤다.

지하로 향하는 계단 쪽의 코팅된 내벽으로 1층 형광등과 누군가의 실루엣이 함께 반사됐다. 흰 봉투를 쥔 수영이 숙직실 문 앞으로 도착했다. 다른 때와 달리 숙직실의 방화문으로부터 냉기가 새는 것 같은지, 수영은 노크하고자 올린 손을 두어 번 주춤했다. 문에 조금 더 가까이 붙어 잔뜩 굳은 얼굴로 문고리를 잡았다. 어떤 쇳덩이와 신발 앞축이 덜컥 부딪친 소리에 어깨를 살짝 움츠렸다. 다름 아닌 방화문 하단의 낡은 우유 투입구였다. 반쯤 닫혔던 눈꺼풀이 펴진 수영은 무릎 굽혀 앉아 우유 투입구를 열고, 던져 넣자마자 자리에서 일어나 곧장 계단을 올랐다.

다급한 저벅거림이 잦아들고, 숙직실과 방화문 사이의 차디찬 자투리 공간, 재하는 모포를 두른 채 바깥쪽 투입구로부터 봉투가 들어온 것까지 보고 말았다. 그것도 채 접히지 않은 덮개 밖으로 튀어나온 오만 원 다섯 장, 봉투 끄트머리에 쓰여 있는 수영과 원모의 이름들까지, 굳이 엉덩이를 끌고 가까이 가지 않더라도 알 수 있었다. 재하는 이를 갈기 시작했다. 억지로 목청을 긁는 동시에 이미 오므라든 손가락으로 머리를 때리더니, 잔근육과 핏줄이 곳곳 솟아오른 몸을 웅크렸다. 복도로까지 그의 고함이 울려 퍼졌다. 먼지 내려앉은 화재경보기마저 찰나에 번쩍이고 꺼졌다.

옥상의 얽히고설킨 배관들과 은색 벤틸레이터 사이로 드러난 해가 더욱 진한 빛으로 달아올랐다. 맥없이 바닥에 주저앉은 재하는 해를 보기는커녕 뻗친 머리카락이 휘날리게끔 내뒀다. 몽롱한 시선은 어느새 바닥의 시멘트 조각을 포착했다. 재하는 시멘트 조각을 주웠다. 깊은 검은자위에 시멘트 조각이 또렷이 반사됐다. 곧 뾰족한 부분으로 검지의 지문을 살며시 눌렀으나 순식간에 바스러졌다. 재하는 자세 그대로 멈췄다. 극미세의 진동 같은 손가락들도 얼마 안 있어 진정됐다.

나지막한 스산함에 잠식된 순간, 재하의 얼굴 아래에서부터 불그스름한 노을빛이 비끼어 올랐다.

작업복의 양쪽 주머니가 묵직한 남선이 순환버스들의 차고 지로도 쓰이는 예술의 언덕 초입에 들어섰다. 얼마 안 있어 급히 멈칫했는데, 폐쇄된 구형 정류장 앞의 그늘에서 서로 마주한 채 침묵하는 남녀를 목격했기에 그랬다.

과도 같은 조각용 나이프를 쥔 수영과 칼날 좀 조심하라며 긴장한 채 만류하는 원모였다. 남선의 귀로 그들의 목소리가 들려왔다.

"이거 뭐?"

"아, 제발, 수영아, 그거 네 물건 아니잖아, 어?"

남선이 그늘 없는 인도로 방향을 바꿀 즈음, 진정 의아한 기색의 수영이 말을 이었다.

"이걸 누가 안다고? 괜찮아, 나만 이러는 거 아니야. 잃어버린 인간이 알아서 사겠지. 너 왜 또 선비질인데?"

이윽고 원모는 일그러진 눈썹을 서서히 폈다.

"수영아…… 찝찝해서 그래. 너 주짓수 인형 조용히 넘어가서 다행이지 이거까지 이러면 –"

"야."

수영이 단호히 끊었다. 원모가 멈칫했다.

"그만해, 그 얘기."

원모가 한숨을 내쉬었다.

"칼 주인이 알면 그때는 뭐라 그럴 건데?"

원모의 맥 빠지는 목소리에 수영이 고개를 갸웃했다.

"왜지……? 알면 뭐 달라져?"

이에 원모는 멀찍이 떨어져 있는 남선을 보고는 놀라 반대쪽으로 고개를 틀었다. 마찬가지로 놀란 남선이 걸어 나가며 사라지고, 원모는 깍지 낀 손을 뒤통수에 얹어 가벼이 눌렀다. 수영에게 티 없음이 있는 그대로 드러났다.

한편, 종합예술관 좌측 출입구 바깥의 자투리 공간에서부터 빗자루 긁는 소리가 났다. 재하가 빗자루로 종이 쪼가리와 비닐을 구석으로 밀어내는 중에 멈칫하더니, 재하는 얼룩 묻은 명함형 전단을 보고는 호기심 어린 눈빛이 떠올랐다. 비아그라, 안정제, 마취제 등을 판매한다는 내용의 명함형 전단이기 때문이었다. 재하는 허리를 숙였다.

"재하야……. 재하야?"

무전기로부터 나온 인표의 목소리였다. 주저하지 않고 무전기 전원을 끈 재하는 기어코 명함형 전단을 주웠다. 앞뒤로 돌려 자그마한 크기의 정보들을 읽는데, 어떤 이의 저벅거림이 들리자 급히 고개를 들었다. 경사로 상부에 막 들어선 남선이었다. 재하는 남선인 걸 확인하고, 주머니에 전단형 명함을 넣으며 빗자루를 내려놓았다. 남선이 조심스레 내려와 중턱에 멈췄다.

"바빠?"

남선의 묵직한 주머니 안에는 캔 커피가 있었다. 옅은 콧김을 내뿜은 재하는 남선이 건넨 캔 커피를 받았다.

"메시지 안 보길래……."

재하는 캔 커피 뚜껑을 단번에 돌려 따자마자 벌컥 들이켰다. 내내 무감한 얼굴에 노기가 번진 것처럼 변한 재하는 입가를 닦고는 한 손으로 캔 커피를 구겼다.

"안 바빠."

남선이 고개를 끄덕였다.

"그렇구나……. 딴 건 아니고 너 전에 말해준 더미 있 -"

"남선아. 됐다고."

재하의 단호한 답에 잔뜩 굳은 남선이 침을 삼키며 다시 입을 열었다.

"아니, 재하야, 내 말은…… 걔네 조형 애들 있잖아, 방금 오면서 봤거든? 그 여자애 뭘 또 훔친 것 같아서. 몰래 들어 보니까 조각칼? 그게 혹시 또 그게 네 물건일 수도 있지 않나 해서. 그래서 여자애랑 걔 남친이랑 약간 말싸움…….”

남선의 말이 채 끝나지 않았는데, 캔 커피를 쥔 재하의 손
이 서서히 떨려왔다. 더 나아가 납작해질 만큼 심히 구겨지기
에 이르렀다. 그 모습을 본 남선이 오른발을 살며시 뒤로 뺐
다. 재하는 스스로 인지조차 못 할 정도의 이글거리는 두 눈
을 남선에게 내보였다.

“오면서 봤다고?”

“어? 어, 맞아, 응…….”

“그래?”

벌어진 입술 사이로 떨리는 숨을 내쉬더니, 도로 무감함을
갖춘 재하는 손가락을 펼치며 구겨진 캔을 바닥에 버렸다. 남
선이 캔 떨어지는 소리였는데도 흠칫했다. 이윽고 기침을 뱉
은 재하는 애써 남선을 보며 나지막이 말했다.

“알려줘서 고마워.”

재하는 남선의 어깨를 두드렸다. 출입문을 열어젖혀 지하로
들어갔다. 경첩의 녹슨 소리가 끝나고 나서야 남선의 다리가
후들거렸다. 무릎 굽혀 앉은 남선이 굳은 목뒤를 누르며 아파
했다.

쪽창으로 바깥의 소음이 잔잔히 들려오는 탕비실, 살벌한
기세가 솟아올랐던 아까와 달리, 재하는 인표 앞에 서서 고개

를 숙인 상태였다.

"어떤 관리원이 근무 중에 무전을 꺼?"

"죄송합니다……"

"안 그러던 애가 갑자기 왜 그래? 너 인마, 커피 심부름이야 그냥 넘겨도…… 만약에 등 깨졌으면 어쨌을 거냐? 그때도 무전 끄고 있어서 몰랐다고 할래? 다음부턴 주의해. 알았어, 김 기사?"

"예……"

인표가 개수대에 커피를 철썩 쏟아버렸다. 마저 웅얼거리는 걸로 모자라 종이컵을 구기며 밖으로 나갔다. 문이 덜컥이는 동시에 뒷짐을 푼 재하는 인상을 구기며 욕설을 뻐끔거렸다.

그래플링 더미의 전용석이었던 복도 자투리 공간의 의자에는 재하가 앉아 멍하니 계단의 껌 자국을 응시했다. 내내 손바닥을 뜯을수록 바닥에 굳은살 조각들이 떨어지고, 약지의 뼈마디를 푸는 차에 인상이 일그러지는데도 계단을 향한 재하의 고정된 시선이 쉬이 흔들리지 않았다.

연극영화학부 소품실의 문고리가 녹슨 소리와 함께 돌아갔다. 안으로 들어간 재하는 스위치를 올리고 나서 구석에 처박힌 대형 샌드백을 비로소 제대로 봤다. 성인 남성의 키를 웃도는 크기였다. 걸이의 조인트를 푼 재하는 대형 샌드백을 바닥에 눕혔다. 도복의 깃을 잡듯, 두 손 꽉 움켜쥐어 엎어치기를 했다. 오랜만에 팽팽히 부딪히는 가죽의 소리가 들린 나머지 떨리는 숨이 새어 나왔지만, 재하는 표정을 가라앉히며 샌드백 지퍼를 잡아당겼다. 쉰내 풍기는 옷감들을 전부 빼내며 헐렁해진 가죽을 들어 올렸다.

숙직실로 돌아온 지 조금 지났을 즈음, 재하는 책상에 앉아 명함형 전단을 만지작거리며 누군가와 통화 중이었다.

"마취제는 어떤 거 있나요?"

재하는 미니 서랍장의 두 번째 칸을 열었다. 수영과 원모의 이름이 적힌 돈 봉투를 꺼냈다.

"몇 시간 재우는 거 말고요. 아예 재워버리는 건…… 그럼 오십 밀리면 주사기도 딸려 와요……? 네…… 바로 입금할 수 있어요……. 알겠습니다, 네."

시설관리원 취직과 동시에 숙직실 입주 후, 재하는 꽤 오랫동안 책상 아래의 철제 상자로 손을 뻗지 않았다. 체육관 활동 중에 만났던 선배가 선물로 건넨 일본산 과자를 다 비워내고, 여분의 핸드폰 보호 필름, 1급 방진 마스크, 실험용 보안경을 보관하는 용도로 썼다. 아울러 그것들 사이로 소형 지퍼백에 담긴 좁쌀만 한 압지들도 보였다. 재하는 손바닥으로 스무 장의 압지들을 모조리 쏟았다. 개수뿐 아니라 제각각 새겨진 뼈에로 그림들까지 확인했는데, 옅은 마찰음이 새어 나올 만큼 더 중얼거린 재하는 도로 표정이 싹 바뀌며 자리에서 일어났다.

붉은색 바람막이와 청바지로 갈아입은 후, 재하는 탕비실로 들어가자마자 속히 수납장을 열어젖혔다. 오래된 포트에 생수를 따르고는 압지 넉 장부터 넣었다. 아울러 쪽창의 방충망도 열어젖힌 재하는 포트의 가열 버튼을 누르는 동시에 방진 마스크와 보안경을 썼다. 재하는 핸드폰에 뜬 오전 시간대를 확인하며 나머지 압지들을 넉 장씩 나눠 더 가열하고, 습기 서린 플라스틱병 세 개와 분무기 두 개를 가방에 욱여넣었다. 이윽고 검은 모자까지 쓴 재하는 이전과 달리 더 넓은 보폭으로 좌측 출입문을 향해 나아갔다.

학생회관 비상계단을 올라 2층에 다다른 재하는 살짝 당긴 출입문의 좁은 틈을 확보했다. 그 너머로는 원모와 남자 동기 세 명이 크리스천 해부학 앞에서 수다 중이었다. 원모가 자리에서 일어나 동기들을 끌고 비상구로 오려던 차, 재하는 급히 아래로 내려갔다.

연합광장이라고도 불리는 학생회관 앞의 널따란 공간, 원모와 동기들이 구석진 원목 테이블에 모여 탄산음료를 마실 때, 재하는 그들보다 더 떨어진 자리에 앉아 목소리들을 엿듣고 있었다. 이내 그들이 일어나 학생회관 뒤꼍으로 걸어 나갔다. 녹슨 표지판만 세워진 순환버스 정류장에 다다르기 직전이었다. 족히 열 걸음씩 떨어져 조심스레 따라간 재하는 막 도착한 순환버스로 원모와 동기들보다 느지막이 몸을 실었다. 재하는 덜컹거리며 나아가는 순환버스 안에서도 원모의 뒤통수를 힐끗댔다.

원룸 건물 입구 앞에서 서성이는 원모가 근심 있는 얼굴로 아빠와 입원 치료 등을 웅얼거린 후에 몸을 틀어 움직였다. 그가 활짝 열린 원룸 공동 현관을 통과했다. 재하는 느지막이 입구 앞에 들어서 건물을 대강 훑기만 했다. 오히려 재하는 고개를 옆으로 빼꼼히 내밀어 원룸 건물 뒤의 저층 연립단지를 훔쳐봤다. 그래도 일단은 원룸 건물부터 들어가고자 움직였다.

재하는 상단의 엘리베이터 전광판을 올려다봤다. 2층임을 보고는 속히 계단을 올랐다. 문 닫히는 소리가 들리자 다급해진 나머지 두 칸씩 뛰어올랐다. 분명히 203호의 문이 닫히는 순간을 웅크려 포착했다. 도어락이 잠기기까지 기다린 후, 재하는 두 다리에 힘을 줘 저벅거림 없이 203호로 멈춰 섰다. 가방 앞주머니의 지퍼를 잡아당겼다. 핸드폰 보호 필름 한 장을 꺼냈다. 도어락 패드에 조심스레 갖다대 아래로 바짝 밀며 천천히 붙였다. 일순간 도어락 패드가 번쩍이는데, 기포 하나 안 남긴 상태로 차분히 뗐다. 지문 자국들이 뭉개졌어도 유추할 수 있는 모양새로 드러났다. 재하는 눈을 깊이 감았다 뜨며 콧김을 몰아 내뿜었다.

연립의 옥상에서 원모의 자취방이 훤히 보였다. 바람막이를 벗으며 플라스틱 의자에 앉은 재하에게 청소기로 바닥을 미는 원모의 모습이 펼쳐졌다. 아울러 직접 요리를 해 식전 기도를 올리고, 설거지를 끝내자마자 책상에서 랩톱을 두드리는 등, 재하는 그가 자신과 달리 건실하든 말든 중요하지 않듯, 수첩 위로 도어락 비밀번호들을 써 내리는 동시에 어떻게든 원모를 향한 시선을 고정했다. 어느새 성경을 펼쳐 빈 종이에 필사하는 원모의 모습이 어두워질 때까지 이어졌다. 재하는 그만 눈꺼풀이 내려앉고 말았다.

옥상과 맞닿은 하늘이 다시 밝아지기까지 금방이었다. 화들짝 깬 재하는 몸에 두른 붉은색 바람막이를 걸치고 핸드폰을 확인했다. 오후 한 시가 조금 넘었다. 그리고 급히 원모 자취방의 창문을 내다봤다. 아무도 없었다.

연립단지를 벗어나는 재하의 뒷모습이 더 곧아졌다. 원룸 주차장으로 들어선 재하는 입주민이 나오며 열린 공동 현관을 자연스레 통과해 엘리베이터에 올랐다. 바로 2층에 다다라

203호 앞에서 비밀번호 후보군이 빠짐없이 적힌 수첩을 펼쳤다. 도어락 패드로 선명히 떠오른 숫자 0부터 9, 별표와 우물정자 중에서 다섯 가지만 누르면 되는데, 갑작스레 등과 옆구리가 굳어버린 탓인지, 미리 들어 올린 검지에 미세한 경련이 일었다. 그래서 재하는 눈을 감고는 아무 번호 네 자리를 웅얼거렸다. 이내 입 밖에 나온 그대로 누르니 짧은 오기 경보가 울렸다. 웅얼거림과 누르기를 반복할수록 네 번의 오기 경보가 울린 탓에 옆 호실로부터 저벅이는 소리가 점점 가까워졌다. 그러나 귀만 쫑긋할 뿐, 단 한 번도 시선을 돌리지 않고 기어코 누른 비밀번호는 수첩 끄트머리에 적혀있는 2864였다.

도어락이 풀렸다. 재하는 옆 호실에서 부스스한 입주민이 나오기 전에 바로 203호의 문고리를 당겼다. 안으로 들어간 재하는 방바닥에 발을 딛자마자 마스크와 보안경을 쓰고 냉장고를 열어젖혀 작은 생수병 여러 개의 뚜껑을 열었다. 압지들 끓인 약수를 생수병마다 부었다. 뚜껑을 닫아 두 손으로 흔들었다.

먹다 남은 반찬들도 마찬가지였다. 전부 분무기에서 뿜어져 나오는 약수에 살살 젖어갔다. 숟가락과 젓가락, 개수대와 수납장의 그릇들, 침대의 베개와 이불, 화장실 세면대와 변기,

벌어진 칫솔과 흡착식 걸이에 걸려 축 처진 수건에도 약수를 뿌렸다. 화장실에서 나오며 분무기 두 개가 동난 탓에 두어 번 주춤했다. 그래도 여기저기 고개를 돌려 세탁기 옆에 널브러진 행주를 찾았다.

플라스틱병 두 개도 전부 비워낸 나머지 고무장갑 낀 손으로 짓눌러 찌그러뜨린 후, 재하는 개수대로 마지막 한 병을 들이부어 행주를 적셨다. 문고리와 함께 사람의 손이 닿는 온갖 부분을 닦았다. 이에 그치지 않고 책상의 물건들과 랩톱 단자에 연결된 마우스까지 닦았다.

재하는 그제야 의자에 털썩 앉았다. 등받이에 기대던 차, 텔레비전 아래의 받침대로 시선이 돌아갔다. 와이파이 단말기의 잦은 깜박거림이 몽롱함을 일으킨 눈빛이었다. 멍하니 손을 뻗은 재하는 정작 그 옆의 투명한 안경 보관함을 집어 들었다. 보안경 렌즈로 안경 보관함에 가득 담긴 사람 모양의 블록 부품들이 반사됐다. 마스크로 가려졌지만, 분명 왼쪽 입꼬리가 살며시 솟아올랐다.

학교의 정중앙이라 할 수 있는 널따란 잔디밭의 천막과 돗자리가 살살 들썩였다. 앳된 얼굴의 총학생회 수습팀원 한 명만이 해오름제 현수막을 접는 중이었다. 아울러 막걸릿병과 지저분한 일회용 접시 사이로 만취해 누워있는 학생들을 내려다보며 한숨을 쉬었다.

멀리서부터 누군가의 고성이 들려오는 종합예술관 뒤꼍도 다를 바 없었다. 만 원 여러 장 꽂힌 돼지머리 올라간 제사상 아래에서의 학생들이 담요를 덮은 채 자고 있었다.

고성의 진원지는 옥상이었다. 출입구 옆에서는 숨죽여 우는 여학생을 다른 학생들이 달래주는 한편, 앞에서는 달아오른 지 오래인 수영이 맞은편에 서 있는 민머리에게 화를 낸 상황이었다.

"와, 이 개새끼야!"

"어쩔 건데요!"

"오라면 와!"

원모는 뒤에서 무릎 굽혀 앉아 얼굴을 묻었고, 남학생 두 명이 수영의 팔을 붙잡아도 힘에 부치는 모양이었다.

"야, 원모야, 일어나!"

"수영아, 좀!"

원모는 묵묵부답이었다. 수영은 민머리를 향해 닿지 않는 손을 휘두르며 말했다.

"야, 야, 너, 이 씨발, 내가 너한테 뭘 잘못했는데? 어? 너 씨발 왜 맨날 나한테만 지랄인데? 왜! 야, 나도 너 보면 빡쳐, 개새끼야. 원모가 너랑만 친하냐? 쟤 씨발 내 남친이야, 병신아, 그니까 씨발 좆 까지 마. 씨발 네가 무슨 친동생이라도 된 것 같냐?"

"닥치세요, 누나는 그냥 원모 형한테도 존나 민폐예요, 알아요? 술을 처마시든 안 처마시든 누나는 여기 있는 사람들한테도 존나 민폐라고요, 씨발!"

수영을 붙잡았던 남학생 한 명이 민머리를 막아섰다.

"야, 너도 그만해."

민머리가 팔을 뿌리쳤다. 원모가 슬슬 일어났다.

"병신같이 지랄하는 것도 한두 번이지, 왜 또 애들한테 시비 걸고 있냐고요! 누나가 보기엔 쟤네는 좋아서 가만히 있어요? 아니면 쟤네가 누나한테 처맞으려고 태어난 줄 알아요? 적당히 해요, 제발 좀!"

출입구 옆에서 우는 여학생을 달래던 학생 한 명이 급히 원모에게 다가가려 했다. 외려 수영은 달려들고자 다리까지 뻗었다.

"놓으라고! 놓으라고, 씨발!"

한달음에 움직인 원모는 수영의 뺨따귀를 내려쳤다. 수영이 비틀거리는 동시에 차디찬 정적이 내리깔린 건 순식간이었다.

민머리가 외마디 한 번 쉬이 못 꺼낼 정도였다. 원모는 수영에게 노기 어린 눈빛을 드러냈다. 수영은 손자국에 붙은 머리카락들을 넘기며 들썩거리는 입술을 깨물었다. 이내 더 말할 힘조차 없는 기색의 원모는 차오른 숨을 눌러 삼키고 자리를 떠났다. 그러자 남은 학생들이 미리 정한 동선처럼 민머리에게 다가갔다. 수영은 그들의 속닥거림 사이로부터 내놓은 채 노곤한 저벅거림이 멀어지는 출입구를 노려보기만 했다.

캄캄한 원룸 복도의 엘리베이터 표시등 위로 2층이 떠올랐다. 도착하며 열린 문밖으로 원모가 맥없이 나왔다. 복도 천장의 센서등이 나아가는 순서대로 하나씩 켜지고, 비밀번호 입력과 함께 문고리가 덜컥일 때, 계단에서 내려온 재하는 203호 안으로 들어가는 원모를 훔쳐봤다.

이미 어두워진 연립단지 옥상에서 원모가 냉장고의 생수를 들이켜는 순간이 203호 창문에 드러났다. 곧 원모가 입가를 닦고 나서 화장실로 들어갈 즈음, 재하는 그를 응시하며 뒤쪽의 깊은 음영 속으로 유유히 모습을 감췄다.

다음 날, 매트리스에 누워있는 수영은 눈을 뜨며 몸을 일으켜 주변을 돌아봤다. 종합예술관 2층의 휴게실이었다. 수영은 부은 얼굴을 비볐다. 눈물자국에 붙은 머리카락 한 올을 떼고, 구석에서 교재들을 깔고 곤히 자는 민머리를 발견했다. 거스러미 일어난 중지를 내려다보고는 전날의 기억들이 떠오르기라도 한 건지, 수영은 몸에 덮였던 담요를 들고 민머리에게 다가갔다. 던지려다 말고 부드러이 담요를 덮어줬다. 소파 팔걸이에 걸터앉은 수영은 옆구리를 긁는 진동 탓에 짜증 섞인 표정으로 핸드폰을 꺼내 확인했다. 액정 위로 단체 대화방의 채팅 아이콘들이 여럿 떠 있었다. 다들 아침 일찍부터 전시장 치우느라 고생 많았다는 교수의 메시지가 다수였다. 수영은 눈이 휘둥그레졌다. 급히 밖으로 나갔다.

수영은 힘껏 달려 가까스로 연합광장에 진입했다. 엘리베이터 표시등의 점검 중이라는 신호를 보고 재빨리 비상계단을 밟아 올랐다. 학생들의 정크 아트 과제들이 여럿 전시됐던 2층 복도였는데, 크리스천 해부학만이 고정석에 널브러진 상태였다. 수영은 헐떡임을 가라앉혔으나 검은색 테이프가 채 떨어지지 않은 흔적들을 멍하니 둘러본 후, 달아오른 얼굴에 손부채질하며 크리스천 해부학으로 걸어 나갔다. 가까이서 보니 신체 골격 모형의 발 부분에 묶였던 철사가 풀려 있었다. 텅 빈 눈빛의 수영은 풀린 철사를 묶었다. 어깨 위로 크리스천 해부학을 얹으며 맞은편의 비상구로 움직였다.

수영이 조심스레 한 칸씩 발 딛으며 내려갈 때마다 십자가 하단이 계단 모서리와 부딪쳤다. 한 칸 더 내디뎌 1층에 도착한 수영은 층수가 적힌 유도등 옆에 크리스천 해부학을 세웠다. 어깨를 주무르며 앓는 소리를 내는데, 질끈 감았던 눈을 뜨니 오른쪽으로 기울어야 할 더미의 고개가 정방향에 쏠려 있었다. 수영은 일그러진 얼굴 근육이 펴졌다. 이목구비 없는 더미의 얼굴과 뚫어지게끔 마주하는 것만 같았다.

십자가의 가로 부분을 잡고 질질 끌어 지하에 도착한 후, 수영은 구석의 캐비닛 뒤로 향해 크리스천 해부학을 내려놓았다. 곧 셔터 올라간 출입구로 바삐 빠져나가니 코에 끼친 물비린내에 고개를 들었다. 온통 맑은 광막한 하늘의 왼편 먼 발치만이 먹구름들로 뒤엉켰다. 수영은 깊은 한숨과 함께 단내를 빼냈다. 바지 주머니에 담긴 핸드폰을 꺼내 원모에게 전화를 걸었다.

긴 진동이 책상을 긁었다. 바닥에는 찌그러진 생수병들이 널렸다. 원모는 느지막이 들린 진동에 손가락부터 꿈틀거렸다. 화들짝 상체를 일으켰으나 더 일어나긴커녕 이마를 짚기만 했다. 마른세수 후에 부은 눈으로 창문의 방충망을 보는 순간, 외마디의 갈라진 비명을 지르며 침대 밑으로 굴러떨어졌다. 잡아당긴 이불에 몸이 말렸는데도 모르는 듯, 포복 자세로 신발장 가까이 기어갔다.

"주님, 주님, 어어……!"

드높은 이름을 부른 지 얼마 안 된 차, 원모는 역류가 터져 나오려는 입을 꽉 틀어막았다. 급히 화장실로 들어가 변기에 얼굴을 파묻었다. 쏟아지는 토사물이 첨벙거리는 와중, 방충 망에는 그저 얼룩만 있을 뿐이었다.

인적 드문 순환버스 정류장의 맞은편에서 벤치에 앉았다 일어나기고 이리저리 서성이는 원모의 모습이 보였다. 퀭한 얼굴의 재하는 원모의 덩실거림에 웃음을 참았다.

인문사회관 뒤꼍 외벽에 기대어 앉아있는 원모는 머리를 부여잡고 도통 일어나지 않았다. 이내 끙끙 앓기까지 하는 그를 내려다보는 수영과 남학생들 표정마다 근심이 올라왔다. 수영이 가까이 앉아 원모의 등을 쓸어줬다.

"원모야. 왜 그래? 어?"

원모는 답하지 않았다. 수영이 다시 물었다.

"너 아파? 아프면 나랑 병원 가."

"사탄."

수영은 명확히 들렸는데도 되물었다.

"뭐?"

"사탄 있잖아. 걔네가 너무 많은데, 나를 막 감싸는데, 안 아

245

프긴 안 아픈데, 몰라……."

굳어버린 수영은 남학생들 사이의 민머리와 눈이 마주쳤다. 그때 민머리가 남학생들을 비집고 가까이 다가가려는데, 입을 틀어막은 원모는 허리 숙이며 구석의 우수맨홀로 토사물을 쏟아냈다. 수영과 민머리가 놀라며 남학생들도 주춤하는데, 다 쏟아내고 나서 천천히 자리에서 일어난 원모는 아무렇지 않다는 모양새로 수영과 민머리를 돌아봤다. 그리고 한편, 재하는 정보전산원 주차장과 바로 이어진 계단 앞에 살며시 들어섰다. 창백히 질려 못 움직이는 수영과 도로 맥 빠진 탓에 부축받는 원모가 작은 크기로 보였다. 재하는 그들을 내려다보며 깊이 들이마시고 내쉬었다.

푸르스름한 하늘 아래, 원룸 밀집 구역의 실개천 산책로 다리 위를 누군가 정신없이 뛰어다니는 중이었다. 정확히는 같은 동선으로 움직이는 원모였다. 한참 앞 찍고 뒤 찍기를 쉬지 않았다. 팽이 때리는 기침을 뱉은 나머지 끝내 허리를 숙였다. 원모는 바닥에 질은 침을 뱉어냈다. 털썩 주저앉은 원모는 고개 들어 바로 보이는 협소한 골목길에 시선을 뺏겼다. 터진 버찌들이 널린 공장과 공장 사이의 좁다란 골목이었다. 이마에 맺힌 땀줄기가 흘러 눈꺼풀로까지 내려왔다. 그러더니 울려는 듯, 원모는 고개를 좌우로 흔들었다. 분명 아무것도 없는 곳인데, 원모의 눈에는 뭔가 보인 것만 같았다. 이내 인상이 편안해진 원모는 한 걸음, 두 걸음, 천천히 골목 입구 가까이로 나아갔다. 조금만 더 가면 모습을 감출 수 있는 순간, 누군가 뒤에서부터 냅다 달려와 원모를 걷어찼다. 모자와 마스크로 얼굴을 가린 재하였다. 골목 안으로 미끄러져 넘어진 원모를 내려다보며 삼단봉을 펼쳤다. 팔을 높이 들어 휘둘렀다. 원모가 몸을 굽히며 얼굴을 가렸다.

"살려주세, 살려주세요! 죄송합니다!"

그러든 말든, 재하는 힘에 겨울 때까지 내려쳤다. 삼단봉을 접자마자 원모의 몸을 뒤졌다. 무선 이어폰과 그의 핸드폰을 꺼냈다. 한쪽 이어폰을 꽂고 나서 뒤를 돌아보며 핸드폰을 두드렸다. 연결된 듯, 재하는 원모의 핸드폰을 주머니에 다시 넣어 놓았다. 뒤돌아 가려다 멈칫하고는 그의 엉덩이를 걷어차고, 수영과 원모의 이름이 적힌 구겨진 돈 봉투를 그의 바지 주머니에 찔러 넣었다. 재하는 그제야 도망갔다. 골목 바닥과 벽에 원모의 훌쩍임이 부딪쳐 울렸다.

지저분한 창틀에 비스듬히 세워진 자그마한 성모 장식품이 바깥의 가로등 불빛을 받았다. 원모는 이불을 뒤집어쓴 채 침대가 삐걱댈 만큼 떨었다. 아울러 아주 작고 빠른 목소리로 웅얼거렸다.

"깊은 구렁 속에서 주님 당신께 부르짖나이다. 주님 제 소리를 들어 주소서. 애원하는 제 소리에 당신 귀를 기울이소서. 주님 당신이 죄악을 헤아리신다면 주님 감당할 자 누구이리까. 당신은 용서하는 분이시니 사람들이 당신을 경외하리다……. 사람을 창조하시고 믿는 이들을 구원하시는 하느님, 저희의 간절한 기도를 들으시어 주님을 섬기던 사람들의 죄를 용서하시고 그들이 바라던 영원의 행복을 얻게 하소서. 우리 주 그리스도를 통해 비나이다, 아멘……."

원모의 기도문 낭독이 내내 이어지는 와중, 물기 안 마른 개수대에마저 양념 묻은 빈 반찬통과 젓가락들로 어질러진 상태였다. 그때 밖에서 비밀번호 누르는 소리가 들렸다. 수영과 민머리가 도어락이 풀리자마자 들어갔다.

"원모야."

"형."

책상 구석의 비비 꼬인 충전기에 꽂힌 원모의 핸드폰과 구겨진 봉투로 수영과 민머리의 짙은 그림자가 드리워졌다.

재하는 4층과 옥상을 가리키는 녹색 표시등 옆에 앉아있었다. 원모의 무선 이어폰을 꽂은 채 자취방의 상황들을 도청 중이었다. 끊겼던 원모의 기도문 낭독이 다시 이어졌다.

"주님, 오늘 생각과 말과 행위로 지은 죄와 의무를 소홀히

한 죄를 살 - "

"그만해."

수영의 만류에도 원모가 멈추지 않았다.

"전능하신 하느님과 형제들에게 고백하오니…… 생각과 말과 행위로 죄를 많이 지었으며, 자주 의무를 소홀히 하 - "

"그만 해, 제발 원모야!"

이내 재하는 늘어지고 갈라지는 수영의 목소리에 나오려는 웃음을 참았다. 애써 두 손으로 입을 틀어막으며 비틀거리는데, 가슴팍 때리는 소리에 기침을 뱉고 자세를 고쳐 앉았다.

"내 탓이오, 내 탓이오, 내 탓이오……."

원모의 자책이었다. 수영이 한숨을 쉬며 말했다.

"원모야…… 대체 뭐가? 네가 뭘 잘못했는데? 너 혹시 내가 주정 부려서 그래? 그래서 화나서 그러는 거야?"

"누나, 잠깐만……. 형. 뭐가 보여, 자꾸?"

민머리의 질문이었다. 재하는 양쪽 귀의 이어폰을 살며시 눌러 주변의 잡음을 차단했다.

"그러므로 간절히 바라오니 평생 동정이신 성모 마리아와 모든 천사와 성인과 형제들은 저를 위하여 하느님께 빌어주소서. 아멘."

재하는 한 번 더 웃음을 참았다. 원모의 기도문 다음으로 민머리가 콧김과 수영의 훌쩍임이 들려왔다.

"지금도 여기 다 있잖아, 사탄. 투명 망토, 투명 망토로 나 좀 가려줘, 수영아. 투명 망토만 있으면 다 돼. 뱀이 막 내 팔을 감거든……."

"잠깐 있어 봐……."

민머리가 가방 지퍼를 열어 바스락거리는 뭔가를 꺼냈다.

"누나, 물 한 잔만 떠 줄래요?"

"어, 알았어."

냉장고 문이 열리고, 남아있는 생수병 뚜껑을 돌려 따는 소리가 들렸다.

"형, 우선 좀 자자. 우선 좀 자."

"어? 이거 뭐야?"

"수면제야, 수면제."

이내 재하는 실소하며 손톱으로 표시등을 두드리고, 환한 빛을 손으로 가려 작은 그림자를 만들었다. 이어폰을 뺀 재하는 케이스에 담고 나서 천천히 일어났다. 워낙 바깥이 칠흑이기에 창문 유리로 얼굴이 선명히 반사됐다. 재하는 두어 걸음 물러났다. 핸드폰의 카메라의 기능을 열었다. 살며시 브이를 치켜올린 본인의 모습을 사진으로 담아냈다.

족히 두 시간이 흘렀다. 양쪽 눈두덩이가 부은 수영은 기절한 거라 해도 무방한 원모를 내려다봤다. 주름 심한 이불을 그의 어깨까지 덮어줬다. 원모의 책상에 앉아있던 민머리가 손바닥에 돈 봉투를 털었다. 근육질의 염소 그림이 새겨진 좁쌀만 한 압지 두 장이 나왔다.

"이거 뭔지 알아요, 혹시?"

놀란 기색의 민머리는 수영에게 압지들을 들이밀었다.

"뭔데?"

"이거 마약이에요."

수영은 순식간에 창백해졌다. 민머리가 말을 이었다.

"이거 엘에스디라는 건데, 거의 다 이거처럼 우표에 약 발라서 빨아 먹어요. 이 형 계속 아까부터 토하고 헛소리하는 게 딱 봐도 제대로 꽂혔어요. 근데 이걸 얼마나 먹었는지는 모르겠어요. 많이 먹은 건 맞는데 각이 안 나와……."

수영은 민머리의 왼손으로부터 돈 봉투를 채갔다. 주름을 펴며 끄트머리에 적힌 자신과 원모의 이름을 봤다. 오므라졌던 손가락이 풀린 나머지 돈 봉투가 바닥에 떨어졌다. 도로 털썩 주저앉은 수영은 이마를 누르며 말했다.

"원모 마약 안 해……."

"그럼?"

답조차 못 한 수영은 넋 나간 채 어깨마저 축 처졌다. 민머리가 신발장 쪽을 돌아봤다. 비로소 작은 상자 안의 찌그러진 생수병들과 더불어 개수대의 반찬통들이 보였다. 이윽고 수영은 민머리의 옷소매를 잡아당겼다.

"그 관리원 새끼 짓이야."

민머리가 수영의 손을 뿌리치며 그녀의 몸을 잡아 일으켰다.

"뭔 말인데, 지금."

수영에게 창백함이 사라지고 머리카락 사이로 서늘한 노기가 드러났다.

"과제 전시회에 올린 거 때문에 그 새끼가 이러는 거라고. 그거 원래 주인 없는 물건 아니야. 그 관리원 거야…… 저 상태로까지 만든 거면……."

"무슨 관리원? 지하에 있는 젊은 사람? 물건은 뭔…… 그 주짓수 인형 말하는 거예요?"

곧 수영은 애처로움과 골똘함이 뒤섞인 표정으로 뒤바꿨다. 민머리가 어금니를 꽉 깨물고 말을 이었다.

"개 같은 거 생각하지 말아요, 난 빠질 거니까."

수영은 말 끝나기 무섭게 고개가 뒤로 젖혀질 만큼 끅끅거렸다. 경련 일어난 것 같은 그녀의 모습에 민머리의 표정이 굳어버렸다. 원모가 잠결에 움찔할 즈음, 다 웃은 듯, 수영은 짧은 숨을 끊어 뱉고 나서 민머리의 볼을 쓰다듬었다.

"야, 솔직히 너랑 내가…… 지하에서 떨 피우고 입 틀어막고 섹스했던 거 걸리면 나만 잡히는 건 아니야, 그렇지? 근데 문창과 여자애들한테 떨 팔고 씹질한 건 나만 알고 있잖아."

민머리의 눈가에 핏줄이 솟았다.

"씨발, 누나."

수영은 민머리를 향해 다시 노기를 드러냈다.

"나는 너한테 줄 때마다 쟤한테 미안해서라도 오래 끌지는 않았어. 근데 넌? 넌 어땠는데? 어? 어땠어? 쟤한테 미안했던 척이라도 했어? 진짜로? 싹 다 걸고? 너 그런 적 있다고? 지랄 작작 해, 너 같은 새끼가? 앞에선 내 욕하고 뒤에선 바지에 손부터 넣는 발정 걸린 씨발 새끼가? 애미 뒤진 좆병신 힙찔이 새끼가? 네가?"

한 마디씩 쏘아 민머리를 벽에 몰아붙인 후, 수영은 그의 손목을 잡아채 가슴 위로 얹으며 깍지를 꼈다. 민머리가 애써 뿌리치려 해도 좀처럼 빠지지 않았다. 책상 위의 작은 물건들이 바닥에 떨어질 정도였다. 손에 힘을 더 줄수록 수영의 입꼬리가 들썩였다. 민머리의 눈이 붉어지기에 이르렀다.

"왜, 꼴려? 어? 지금도 대줄까? 그럼 잘 좀 만져 봐, 병신 같은 새끼야."

그제야 깍지를 놓은 수영은 털썩 주저앉은 민머리와 얼굴을 가까이 마주했다. 거친 숨이 뿜어져 나오는 민머리를 부드러이 포옹해 등을 쓸어주며 다시 일으키고, 어깨와 머리를 두 손으로 가득 감싸 나지막이 말했다.

"그니까 나 좀 도와줘……. 서로 좀 편해지게."

민머리의 호흡이 안정됐다. 수영은 그의 뒷머리를 천천히 토닥였다. 나아가 목덜미에 입을 맞추고, 어깨 감쌌던 손을 살며시 아래로 뻗었다. 바지 지퍼가 밀리는 걸로 모자라 피부와 피부의 미끄러지는 마찰음이 내리깔렸다. 벌어진 입술 사이로 낮고 억눌린 신음이 새어 나왔다. 수영은 속력을 높여만 갔다. 맞닿은 볼이 달아오를수록 민머리의 어깨가 들썩거려도 좀처럼 흔들리지 않았다. 더 과감히 귀 가까이 뜨거운 숨을 불어넣으며 벽을 노려봤다.

길고 광막한 정문 통행로가 옅은 안개에 뒤덮인 지 오래였다. 가장자리마다 박힌 백색의 가로등 불빛이 갈라져 뻗어있더라도 뿌연 칠흑을 걷어낼 수 없었다. 전조등 뿜는 자동차가 간신히 서행할 정도였다.

인도를 걷던 재하는 안개의 눅눅함에 눈을 찌푸리면서도 여태 나아간 길을 돌아봤다. 멀찍이 족발집과 순환버스 정류장이 보였다. 어느덧 중턱이었다. 강한 밝기의 핸드폰에 뜬 지도 앱의 목적지 아이콘과도 가까워지기 직전이었다. 유통창고를 등진 위치의 버려진 장롱이 도착지였다. 재하는 장롱 앞에 멈춰 섰다. 포일로 감긴 작은 물건 두 개의 사진과 함께 보관 완료라는 문자 내용을 열었다. 재하는 조심스레 장롱을 열어젖혔다. 사진 그대로의 모습이었다. 재하는 포일을 벗겼다. 자그마한 동물 마취제와 주사기 한 대였다.

중문과 가까운 넓은 운동장에마저 안개가 자욱했다. 연단 인근의 관중석에 앉은 재하는 모자를 벗으며 짓눌린 머리카락을 젖혔다. 차디찬 공기에 머리가 식어 안 들리는 탄식을 뱉었다. 재하는 일어났다. 계단을 타고 내려가 레인이 그려진 땅을 밟았다. 준비 자세를 취했다. 튕겨 나간 듯 달릴수록 신발 밑창과 바닥 마감재가 부딪쳤다. 얼굴과 몸으로 바람을 갈라도 불투명한 시야는 여전했다. 재하는 속력을 높였다. 한 바퀴, 두 바퀴, 세 바퀴, 재하의 표정이 멍해지기 시작했다. 몸이 무거워지며 숨 또한 거칠어졌다. 그러더니 서서히 미소가 솟아올랐다. 다시 슬슬 속력을 높인 재하는 힘주는 소리를 끌어올리며 앞으로 굴러 시작 지점에 다다랐다. 들이마시고 내쉴 때마다 가슴이 부풀었다. 상체를 일으킨 후, 풀린 신발끈이 보인 재하는 손 뻗으려다 말고 바닥을 지탱했다. 이윽고 안개가 걷힐 무렵, 시작 지점 인근의 마감재에 새겨진 신발 밑창 자국들이 선명히 드러났다.

날 밝고도 정오가 지난 다음 날, 재하는 노교수들의 물품이 담긴 공실의 문을 열었다. 오래된 서적 여러 권과 의자뿐 아니라 야영용품들이 지박령처럼 처박혀 있었다. 재하는 어깨에 건 커다란 가방의 지퍼를 열었다. 구겨진 샌드백 가죽이 쏟아지려 하자 애써 누르고, 아이스박스 위에 얹어진 원터치 텐트와 랜턴을 넣었다. 겨우 지퍼를 닫고 움직인 곳은 탕비실이었다. 재하는 물기 마른 생수병 다섯 개와 컵라면 두 개를 챙겼다. 재하는 전신 거울을 돌아봤다. 무릎 굽혀 앉아 가방 안에 담긴 물건들을 욱여넣는 본인의 모습이 보였다. 고개를 이리저리 갸웃하며 유심히 턱선을 살폈다.

공학관 지하에서부터 남선이 수량 점검 파일을 들고 올라올 즈음, 재하는 계단 앞에 서서 그를 마주했다. 놀라 멈칫한 남선의 눈에는 냉랭한 표정의 재하가 보였다. 남선이 물었다.

"무슨 일이야?"

재하는 말했다.

"일은 없어."

"없으면 됐는데……."

남선이 재하의 어깨에 걸린 묵직한 가방을 봤다.

"어디 가는 거야?"

"그냥 여행. 오늘 휴가 냈어."

남선이 고개를 끄덕였다.

"남선아."

"어?"

부르고 나서 뜸 들인 재하는 남선의 아크릴 명찰과 억센 신발 끈을 내려다보고는 다시 얼굴을 마주했다.

"힘들 땐 이렇게 풀어야겠지?"

이내 벙찌고, 긴장이 풀린 남선이 실실 웃으며 말했다.

"뭘 말하나 했네……. 잘 다녀와. 하여튼 너 한 번 열 받을 때마다 내가 더 무서워, 알지? 이박 삼일이냐?"

재하는 억지 미소와 함께 약지로 귓구멍을 긁었다. 몇 번 머뭇거리고 손을 흔들었다. 조금 떨어진 옆에 있는 출입구로 향했다. 남선이 문을 밀고 밖으로 나가는 재하의 뒷모습을 멍하니 쳐다봤다.

그새 해가 지려 했다. 곳곳 진한 주홍빛이 뻗쳐 내려앉았다. 재하는 원룸 건물 옥상 바닥에 원터치 텐트를 던졌다. 그림자도 그것처럼 펄럭여 펼쳐졌다. 텐트 안으로 들어갔다. 컵라면 뚜껑을 반만 까고 사발면을 쪼갰다. 그 위로 분말을 뿌려 뚜껑을 덮은 채 흔들었다. 한 조각씩 씹으며 핸드폰에 뜬 시간을 확인했다. 다섯 시에서 다섯 시 반, 슬슬 랜턴을 꺼내면서 여섯 시에서 여섯 시 반으로 넘어갈 즈음, 재하는 무선 이어폰을 꺼내 양쪽 귀에 꽂는데, 떠드는 소리는커녕 공기 소리만이 감겼다. 이어폰을 뺐다 꽂기를 반복해도 달라지는 건 없었다. 재하는 왼쪽 이어폰만 빼고 가부좌로 자세를 바꿨다.

이윽고 여덟 시가 훌쩍 넘었다. 졸던 재하는 두꺼운 바람 소리에 눈꺼풀을 올렸다. 아울러 어떤 목소리들이 작게나마 들렸다. 적어도 남자 두 명이었다. 재하는 오른쪽 이어폰을 지그시 눌렀다. 자동문이 열리며 엘리베이터 도착 안내음이 들리더니 목소리가 끊겼다. 재하는 곧장 소변 담긴 생수병들이 세워진 텐트 밖으로 나갔다. 텐트를 접고 가방에 욱여넣었다. 생수병들을 출입구 구석에 대충 밀고는 모자와 마스크뿐 아니라 목장갑까지 착용했다.

벽에 밀착한 채 203호 문 앞에 다다른 재하는 가방을 내려놓으며 마스크를 고쳐 쓰고는 왼손을 쥐어 말았다. 천천히 도어락 패드를 만져 번호들을 띄웠다. 도어락 앞에 바로 서서 심호흡 한 번 하고, 재빨리 2864를 눌러 안으로 들어갔다. 문이 닫히기도 전에 쿵쾅거렸다. 이내 완전히 닫히고 난 후, 넘어지고 부서지는 소리가 들려왔다. 고함과 더불어 힘주는 소리, 접시와 유리 소리 또한 선명했다. 한참 뒤엉키다 장대를 휘둘러 딱딱한 무언가를 내려친 소리를 끝으로 잠잠해지기에 이르렀다. 문을 열고 등장한 사람은 민머리였다. 헐떡이는 얼굴 곳곳에 멍과 흠집이 가득했다. 부러진 각목 조각이 굴러오자 화들짝 놀란 민머리가 방 안을 향해 고개를 끄덕였다. 다시 문이 닫혔다. 얼마 안 있어 민머리와 더불어 운동복 차림의 체대생이 기절한 재하를 들고나왔다.

"잠깐. 잠깐만."

체대생이 기어가는 목소리로 민머리를 불러 세웠다. 재하의 다리를 내려놓자마자 다시 방 안으로 들어가 냉장고 문을 여는 듯했다. 뚜껑까지 따서 물을 들이켜고, 빨리 나와 재하의 다리를 들다 말고 업어버렸다. 민머리가 잰걸음으로 계단을 타고 내려갔다. 체대생도 같은 속력으로 그를 따라갔다. 난장판 된 내부에서 그나마 성한 물건은 블록 부품들이 담긴 안경 보관함 하나였다.

　종합예술관 지하 끝자락의 불 꺼진 보일러실, 길쭉한 플로어 램프만 켜진 내부에서 누군가 검은 신발주머니를 벗겨내니 곳곳 얻어터진 재하의 얼굴이 드러났다. 재하는 의자에 결박된 상태였다. 숨을 몰아쉬며 민머리와 체대생을 올려다봤다. 민머리가 주머니에서 대마 뭉치가 담긴 미니 지퍼백을 꺼내 체대생에게 건넸다.

"아껴 피워요."

"아, 네."

　이내 또 다른 누군가가 문을 열고 들어왔다. 수영이 민머리와 체대생 사이를 비집고 섰다. 냉엄한 표정이었다.

"잠깐 나가 있어."

　민머리가 체대생의 어깨를 건드리며 조심스레 나갔다. 문이 덜컥이고 나서 한참 동안 서늘한 정적이 일었다. 재하와 수영은 한동안 서로를 노려봤다. 플로어 램프와 이어진 케이블의 전류 소리와 재하가 목을 가다듬거나 코를 훌쩍이는 게 전부

일 정도였다. 이윽고 수영은 팔 뻗어 뒤쪽을 가리키며 입술을
벌렸다.

"너 쟤 보여?"

재하는 매트 위에 웅크려 누워있는 원모를 그제야 보고 나
서 콧김을 뿜어냈다. 수영은 말을 이었다.

"너 저거 엘에스디인가, 그거 먹인 거라며."

"전시하는 거야, 저것도?"

내벽이 울리는 수영의 따귀였다. 내려친 방향으로 고개가
돌아간 재하는 인상을 잔뜩 찡그린 채 코를 훌쩍여 피 섞인
침을 뱉었다.

"아오, 쌍……."

"대답이나 해."

"대가리를 쓸 줄 아네. 그 정도 알면."

수영은 눈을 깊이 감았다 뜨며 심호흡했다.

"왜 그랬어?"

재하는 일순간 외마디를 뱉으려다 만 듯, 고개를 갸웃하고
는 혀로 잇몸을 쑤셨다.

"그걸…… 꼭 말해줘야 알아?"

수영의 입가에 경련이 일었다.

"묻잖아, 그래야 아냐고."

"내가 돈 주지 않았어?"

수영의 말에 재하는 깊이 들이마시고 내쉬었다.

"어, 받았지."

"근데 왜?"

금방이라도 웃음이 터져 나올 것 같은지, 입술을 안으로 오므린 재하는 목을 뒤로 젖혀 뼈마디를 맞추고, 한참 뜸 들이다 고개를 끄덕이며 말했다.

"쟤 봐봐. 존나 병신같이 아무 데나 쏘다니고, 치매 걸린 꼰대처럼 중얼거리고, 토하고, 싸고, 염병 육갑 떨고…… 너는 정말 몰라? 아니면 아는데도 이래? 야, 있지, 네 남친은 그럴 수 있는데 너는 모르면 안 되는 거야. 왜 모른다는 건데? 아니, 이해할 수가 없잖아. 왜?"

재하는 수영의 표정이 굳어가는데도 머뭇거림 없이 말을 이어갔다.

"너, 너…… 그러면 안 돼, 너……. 너 나 잘못 건드렸어. 최소한 먼저 얼굴도 안 비치고 지폐 쪼가리를 던질 게 아니라 배운 사람이면, 잘못한 걸 잘 안다면, 잘못했습니다, 죄송합니다, 사과드립니다, 몰랐습니다, 씨발 착하게 사과부터 했어야지, 이 개 같은 년아!"

숨 가빠진 재하의 고함이 천장과 바닥을 쩌렁 울렸다. 수영은 목석이 됐어도 애써 노기를 유지했다.

"그다음에 돈을 주든가 말든가……. 어이가 없네. 야, 내가 너희들보다 돈 잘 벌어. 최소한 모텔 가서 떡칠 돈은 차고도 넘쳐. 너희는 부모가 꼬박꼬박 학교에다 좆도 모르고 등록금 버리잖아, 이 씨발 벌레 새끼들아! 부족한 거 없이 컸으면 뭘 안다고 개소리를 싸."

짧은 정적이 지나고, 수영은 서서히 헛웃음을 뱉었다.

"그럼 아예 죽으려고 한 거야? 내가 못 배운 년이고 내 남친도 마찬가지라서? 내가 네 허락도 안 받고 인형도 찢어발겼으니까? 고작?"

마지막 단어를 들은 탓에 재하의 턱이 단단해졌다.

"이런 씨발, 뭐, 고작?"

"어, 고작. 솔직히 조금은 미안했지. 지금은 말하는 꼬라지 보니까 그딴 거 없어. 얼마라도 주면 감사하다고는 해야 하지 않아? 너 주고받은 경험 아예 없지? 너 티 나."

"그러는 너는 남의 물건 훔치면 천국 간다고 애미랑 애비한테서 배웠냐? 연놈들이 콘돔을 잘 꼈어야지, 좆 같은 거."

이내 수영은 재하 가까이 성큼 다가갔다.

"아가리 닥쳐라, 씨발. 칼로 모가지 쑤셔서 죽여버릴라니까."

재하는 한결 표정이 편해졌다.

"찐따 특, 그렇게 못 하면서 존나 잘 떠듦."

수영은 실핏줄이 갈라져 솟을 만큼 눈에 힘을 줬다.

"야."

"손에 피 묻히기 싫으니까 후배 새끼랑 모르는 애 부른 거 아니야? 살면서 주먹질은 해봤냐? 칼로 누구 찔러보기라도 한 적은 있어? 딱 봐도 일진 새끼들한테 붙어서 굴렀을 것 같은데? 그거 아니면 수업 전에 자리 뺏겨서 안경 쓴 멸치 새끼랑 짝꿍 하거나."

"야!"

"남친 존나 불쌍해, 씨발. 야, 쟤는 저렇게 자빠져 있는 게 훨씬 편하지 않을까? 원래 너랑 사귄다고 알려주면 좆 잡고 한강 다리에서 뛰어내릴걸? 그래서 나중에 막 긴급 속보로 나오면 존나 재밌겠네. 그리고 그냥 쟤 더 건드리지 마. 수면제 더 먹이면 진짜 빠가사리 돼. 그니까 다 좆 까고 작작 좀 해, 이게 뭐 하는 개짓거리야. 깡도 없는 년이."

수영은 머리를 쥐어뜯으며 귓구멍을 파고드는 고함을 질렀다. 긴장한 기색의 재하는 무릎 굽혀 앉아 비틀거리는 수영을 멍하니 내려다봤다.

"미친년……."

수영의 몸이 들썩거렸다. 아울러 키득거리는 소리와 함께 어깨마저 움찔거렸다. 목소리가 뒤집히고 미간이 일그러지는 파안대소였다. 재하가 보든 말든 한참을 자지러지기만 했다. 이윽고 점차 진정한 후, 자세를 고쳐 앉아 얼굴 가린 두 손을 다소곳이 내렸다. 눈물 줄기가 흐른 웃는 얼굴이었다. 수영은 자리에서 일어났다.

"누구 안 찔러봤다고? 내가?"

수영의 건조한 질문에 재하의 표정이 흔들리려 했다.

"너 내가 못 할 것 같지?"

재하의 벌어진 입술 사이로 짧은 숨이 새어 나왔다. 수영은 오른손을 뻗어 재하의 옷깃을 쥐었다. 아무 느낌도 연상할 수 없는 얼굴을 가까이 들이밀었다.

"조금만 기다려."

접힌 손가락을 하나씩 펼쳐 옷깃을 놓은 후, 수영은 잰걸음으로 나아가 문고리를 잡아당겼다.

"야."

느리게 닫히는 문의 틈새로 수영의 모습이 가려졌다. 재하는 결박을 풀고자 애써 몸을 흔들며 뻗으려 했다.

"야, 야!"

그리고 덜컥, 하고 문이 닫혀버렸다. 재하는 몸을 당기다 옆으로 넘어지고 말았다. 움직이면 움직일수록 문은커녕 플로어 램프와 가까워졌다.

"야! 야! 이 씨발, 미친년아! 야!"

응답 없는 고함이었다. 그럼에도 재하는 아랫배에 힘을 줘 내질렀다. 더구나 목이 갈라진다 한들, 재하는 앓는 소리라도 냈지만, 끝내 호흡이 거칠어진 나머지 실실 웃기에 이르렀다. 그 웃음이 어느새 울먹임으로 바뀌는 건 금방이었다. 단마디의 욕설이나마 뻐끔거렸으나 짧은 쾌감이 스친 것 또한 아주 잠깐이었다. 그저 다시 웃고, 울먹이고, 웃기를 반복할 즈음, 천장으로 솟은 플로어 램프의 빛에 옅은 그림자 하나가 일어나는 것처럼 드리워졌다. 재하는 풀썩이는 소리가 들리는 곳으로 힘줘 얼굴을 내밀었다. 붉은 눈두덩이, 깊이 파인 볼, 건조한 피부의 원모가 상체를 일으킨 채 재하 쪽을 보고 있었다.

"누구세요?"

원모는 정확히 재하가 아닌 플로어 램프와 더불어 빛이 일렁이는 천장을 보는 것이었다. 재하는 침을 한 번 삼키고 말했다.

"저기, 저기…… 어, 저, 안녕."

원모의 표정에 두려움이 번졌다.

"성 미카엘 대천사님……"

못 들은 듯, 재하는 원모에게 되물었다.

"뭐, 뭐라고?"

원모는 홀린 표정이었다. 충혈된 눈으로는 환각이 드러난 듯, 잠긴 목소리로 성 미카엘 대천사께 바치는 기도문을 마저 웅얼거렸다.

"싸움 중에 있는 저희를 보호하소서. 사탄의 악의와 간계에 대한 저희의 보호자가 되소서. 하느님, 겸손되이 하느님께 청하오니……."

자리에서 일어난 원모는 재하에게 다가갔다. 재하는 얼굴 위로 키 큰 그림자가 번질수록 창백해졌다. 이내 원모의 신발 앞축이 다다른 순간, 재하는 눈을 질끈 감았다.

"그를 감금하소서. 그리고 천상 군대의 영도자시여…… 영혼을 멸망시키기 위하여……."

원모는 재하가 결박된 의자를 바로 세웠다. 재하의 헝클어진 머리카락을 눌러주기까지 했다. 더 나아가 재하가 조심스레 눈 뜰 즈음, 손과 발의 결박을 풀더니, 두 손을 맞잡아 일으켰다.

"사탄과 악령들을 지옥으로 쫓아버리소서…… 아멘."

원모의 기도가 끝났다. 재하는 의아하고도 편안해진 표정으로 바뀌었다. 비로소 원모와 제대로 마주했다.

"여기 왜…… 계세요?"

그러자 재하는 다급히 동공을 돌렸다. 아직 긴장한 기색을 감추지 못 한 터라 여러 번 머뭇거린 후, 가까스로 원모의 어깨에 손을 얹었다. 재하는 목을 가다듬고 입을 뗐다.

"동생, 아니, 아가……. 아직도 사탄이 보여?"

원모는 곰곰이 생각하고 나서 답했다.

"예, 그렇습니다. 힘듭니다……."

"그랬구나, 어, 그…… 뱀이 네 팔을 막 휘감는다고?"

원모가 고개를 끄덕였다. 재하는 이전보다 더 이글거리는 눈빛으로 원모의 얼굴을 다시 보며 다른 손도 어깨 위에 올려놓았다. 그리고 나직이 말했다.

"나 한 번만 도와줘. 내가 고쳐줄게."

원모의 두 눈에 물이 차올랐다. 재하의 손이 올라간 어깨가 땀에 젖을 즈음, 수영은 그 옆의 공실에서 홀로 조각칼 자루를 만지작거리는 중이었다. 원모가 도로 갖다 놓으라 지적했던 과도 모양의 조각칼이었다. 수영은 눈을 감고 어설피 기도문을 웅얼거리려는데, 문 열리는 소리가 들려 급히 고개를 돌렸다. 이내 민머리와 체대생이 얻어맞아 미끄러지는 소리까지 들려왔다. 곧장 겁에 질려버린 수영은 급한 발걸음으로 나아가 문을 열었다. 재하를 결박했던 둥근 청 테이프를 쥔 원모가 바로 앞에 서 있었다. 원모는 수영이 놀라기도 전에 얼굴을 한 움큼 잡아 밀었다. 곧이어 문이 닫혔다. 재하는 긴 복도에 쓰러져 있는 민머리와 체대생 사이로 맥없이 주저앉아 헐떡이고 있었다. 수영의 찢어지는 비명이 울렸다. 재하는 비명을 들은 체도 않고 땀을 닦았다.

숙직실 바닥에는 벌어진 가방 밖으로 샌드백 가죽이 쏟아진 채 널브러져 있었다. 재하와 원모는 책상에 앉아있었다. 원모의 굵은 팔뚝에 토니켓이 묶였다. 주삿바늘이 삽입됐다. 안에 담긴 약물이 쭉 들어갔다. 재하는 주사를 빼며 흐르는 핏물을 물티슈로 닦았다.

"이제 사탄 같은 거 안 보일 거야. 수고했어."

"감사합니다……."

"알았으니까 좀 닥쳐, 지친다."

"예, 아니, 아닙니다……."

원모의 눈꺼풀이 금방 무거워졌다. 등받이에 편안히 등을 기댄 재하는 더 이상 입 한 번 열지 않고 그의 모습을 응시했다.

"너무 감사합니다……."

원모의 말끝이 흐려지는 걸 넘어 발음마저 뭉개졌다.

"감사합……."

털썩, 하고 원모가 쓰러졌다. 재하는 그가 쓰러지는 방향까지 마저 응시하고는 차분히 일어났다. 그런 동시에 책상 위의 동물 마취제도 쓰러져 내용물이 흘렀다. 침을 흘리며 드러누운 원모의 모습이 눈앞에 펼쳐졌다. 맞은편 내벽에 걸린 동메달 액자의 접착제 발라진 유리로 재하와 원모가 반사됐다. 재하는 원모를 걷어찼다. 높이 뻗어 올린 주먹을 그의 얼굴로 내리꽂기를 여러 번이었다. 그리고 지칠 무렵, 재하는 비로소 동메달 액자를 마주할 수 있었다.

티 없이 청명한 하늘이 펼쳐졌다. 노란 잎 흐드러지게 떨어진 인문관 경사로 중턱의 낡은 벤치, 인표와 시설과장이 다리를 꼰 자세로 담배 한 대씩 태우는 중이었다. 그들이 나누는 대화가 들리지 않았다. 간간이 웃을 때나마 기침과 가래 뱉는 소리 정도는 들려왔다.

한편, 종합예술관 지하로 내려가는 경사로 상부의 초입에 트렁크가 활짝 열린 시설관리 7반 승합차가 세워져 있는데, 밑에서부터 누군가 끙끙거리는 듯, 바퀴 달린 무언가를 끌어 올리는 소리가 올라오듯 가까워졌다. 재하가 기절한 상태로 의자에 결박된 수영을 끌고 왔다. 상부와 맞닿는 지점에서 멈춘 재하는 의자를 단숨에 들어 올려 트렁크에 실었다. 헐떡이면서도 다시 내려간 재하는 한 번 더 힘주는 모습을 드러냈다. 어쩌면 원모를 욱여넣은 샌드백 가죽을 들고 간신히 실은 후, 트렁크 문을 닫자마자 운전석에 올랐다. 이윽고 시설관리 7반 승합차가 종합예술관을 벗어났다. 앞좌석의 차창 너머로 유독 가팔라 보이는 예술의 언덕을 너끈히 넘어갔다. 정보전산원을 단숨에 지나 학생회관 쪽 내리막길로 진입하려는 차, 재하는 테이프와 안대로 얼굴이 덮인 수영을 룸미러로 힐끗 댔다. 방지턱을 넘는 동시에 수영이 옆으로 고꾸라졌다. 그녀가 화들짝 놀라 입 막힌 비명을 질렀다. 재하는 개의치 않고 더 속력을 냈다.

샌드백과 의자의 바퀴가 공터 바닥에 끌렸다. 오른손에는 샌드백 걸이, 왼손에는 의자 등받이, 재하는 드럼통과 가까워졌다. 이내 다다른 재하는 먼저 샌드백을 드럼통 안에 처박았다. 원모의 다리가 담긴 샌드백의 하단 부분이 축 처지는 듯 접혔다. 재하는 앞으로 나아갈 때마다 출렁였던 주머니에 담긴 시너를 뿌렸다. 찌그러질 만큼 금방 동난 시너를 대충 던지고, 흐느끼는 수영을 드럼통 옆에 세운 후, 다급히 라이터를 꺼내 바닥 이곳저곳을 둘러보다 나뭇가지를 주웠다. 점화 버튼을 네 번씩 눌렀다. 겨우 불을 붙여 드럼통 안으로 던졌다. 금세 타닥거리며 불길이 올라왔다. 흥분한 기색의 재하는 초입에서 멀지 않은 곳까지 달렸다. 근무 시작 전에 바위 간판을 보는 위치와 같은 지점이었다. 비로소 먼발치로 최후의 모습이 펼쳐졌다. 안대가 젖은 수영이 격한 울음을 터뜨리며 몸을 흔들었다. 재하는 아랫배 저려 오는 벅차오름을 애써 억눌렀다. 지난날들의 깊은 울화가 두 눈에 선명히 이글거렸다. 양손이 주먹 쥐어졌다. 왼쪽 광배근이 떨렸다. 그리고 입꼬리가 솟아올랐다.

재하는 끝까지 응시하며 뒤로 걸어 나갔다. 경사로에 미끄러졌어도 도통 고개 돌릴 기미가 없었다. 다시 일어나 그 동작 그대로 운전석에 올랐다. 시동을 걸었다.

군단 뒤꼍으로부터 멀찍한 하늘로 피어오르는 검은 연기가 보였다. 활동복 차림의 앳된 군인이 담뱃재 길어지는 줄 모르고 그저 멀뚱했다. 그 순간, 시설관리 7반 승합차가 공터 진입로를 과격히 빠져나가 도로를 달렸다. 앳된 군인이 미심쩍어졌지만, 곧 담뱃재가 부서져 옷자락에 묻은 나머지 짜증 섞인 표정으로 털어냈다. 다만, 막사 출입문으로 향하면서도 멀찍한 하늘의 검은 연기에 시선을 떼지 않았다. 짙었던 검은 연기가 어느새 희미해져 갔다.

난장판 그대로였다. 원모의 자취방 한가운데에 상 펼치고 앉아있는 재하는 뚜껑 닫힌 컵라면을 내려다봤다. 팔짱 푸는 동시에 뚜껑도 밀려 열렸다. 조금 놀란 재하는 그러려니 하며 자연스레 나무젓가락을 뜯었다. 곧 면을 휘저어 한 입 빨았다. 무감한 얼굴에 슬슬 땀방울이 맺혔다. 그렇게 홀로 허기를 채워갔다. 기침 한 번 나오지 않았다.

일주일 후, 복도 바닥에 천장의 형광등과 통창 너머의 바깥이 뭉개져 반사될 때였다. 앙상한 체형의 신입 관리원이 재하를 따라 3층 기자재실 앞에 멈춰 섰다. 재하는 두꺼운 열쇠 꾸러미를 신입 관리원에게 보였다.

"연영 기자재실인데 원래는 열쇠 복사를 안 했어요. 근데 저번에 담당 학생이 한 번 잃어버린 적이 있어서. 필요할 때 열어주면 돼요."

재하는 열쇠 꾸러미를 건넸다. 신입 관리원이 말했다.

"금방 외울 수 있겠죠?"

"괜찮아요. 일하시면서 다 알아 가요."

열쇠 꾸러미를 뒤진 신입 관리원이 깨끗한 열쇠 하나를 발견했다.

"어? 여기는 혹시……?"

미술학부 실습실이라 적힌 열쇠였다. 재하는 조금이나마 밝았던 표정이 순식간에 식었다.

"아, 여기…… 지하에 있긴 한데…… 얘네는 피하세요."

"네? 아니, 왜요?"

재하는 관자놀이를 긁었다.

"그냥 피하세요, 피곤하니까."

재하와 신입 관리원이 괜스레 이곳저곳으로 시선을 돌렸다. 코를 훌쩍이고 기침한 후, 재하는 손짓하며 급히 계단을 내려갔다. 신입 관리원이 따라갔다.

숙직실 밖으로 나온 재하는 사복 차림과 큰 가방을 착용하고 신입 관리원 앞에 섰다.

"아, 그, 창고 재고품 체크는 항상 하는 건데요, 금요일이 집중 체크하는 날이에요. 그건 반장님이 알려주니까 걱정하지 마시고요. 여기 안에 냉장고랑 매트리스 있어요. 제가 쓰던 거니까 편하게 쓰세요. 아침에는 문 열어서 환기 한 번 하시고, 디지털시계 건전지 잔여분은 책상 서랍에 다 있어요. 더 궁금한 거 있으실까요?"

신입 관리원이 골똘히 생각하다 입을 뗐다.

"없습니다."

"예……. 예, 수고하세요."

재하는 근무 전마다 향하던 출입구로 터벅터벅 나아갔다. 신입 관리원이 재하의 뒷모습을 물끄러미 봤다. 재하가 서서히 작아지며 문을 열어젖혀 완전히 사라졌다.

정보전산원의 종합서비스센터에서 꼼꼼히 휴학계를 작성하는 학생들 사이로 재하가 빈자리에 앉아 오른쪽 다리를 떨었다. 데스크의 행정 직원이 고개를 들었다.

"김재하 님."

재하는 데스크로 향했다. 서류 한 장을 받았다.

"작업복이랑 명찰은 본부 이층 가셔서 반납하시면 됩니다."

재하는 다시 의자로 향해 가방을 챙겼다. 정보전산원 현관을 통과하자마자 멈칫했다. 흐릿해지는 하늘 아래 학생회관 건물이 보인 까닭이었다. 미간이 일그러질 법도 하지만, 그저 먼발치에서 불어오는 미풍에 눈꺼풀이 반쯤 닫힌 게 전부였다.

가벼워진 가방을 메고 본부 밖으로 나왔는데, 재하 앞을 건장한 체격의 남자 세 명이 조심스레 가로막았다.

"김재하 씨."

재하는 이름을 부르는 태도에 짐작할 수 있었다. 아울러 호명한 형사가 영장을 펄럭이고, 조금 떨어져 서 있는 형사가 핸드폰 촬영을 하는 상황이니 더더욱 그랬다.

"지금부터 이원모 씨 살해 혐의로 긴급 체포합니다."

또 다른 형사가 다가가 재하의 손목에 수갑을 채웠다. 본부 진입로의 경찰 승합차 옆에서 인표와 시설과장, 그리고 남선이 그 상황을 얼어붙은 기색으로 보고 있었다.

"묵비권 행사하실 수 있습니다. 변호사 선임하실 수 있고, 안 되면 국선변호인 선임될 겁니다. 지금부터 하시는 발언은 법정에서 불리하게 적용될 수 있습니다. 숙지하세요."

재하의 귀에 미란다 원칙 고지가 전부 감겼다. 재하는 남선과 눈조차 마주하지 않았다. 경찰 승합차 뒷좌석의 자동문이 열렸다. 재하와 형사들이 굴비 묶인 듯 승차했다. 문 닫히는 소리가 큰 나머지 남선이 움찔했다. 이내 경찰 승합차가 출발하며 내리막길을 탔다. 중문 한가운데의 웅덩이를 밟았다. 기다란 타이어 자국 위로 썩은 솔잎이 살며시 내려앉았다.

작가의 말

  틀린 말은 아니다. 어떤 상황이든 사람은 몸이 힘들어야 잡생각에 사로잡히지 않는다. 그래서 고단함이란 마치 과음하는 느낌과 같다. 문제는 그 과음을 즐기는 걸 넘어 주정 부리는 사람들이 자주 보인다는 것이다.

  어쩌면 내면 깊은 곳의 무기력이 원인일 테다. 건강하게 해소하는 사람들보다 아닌 사람들이 많은 이 작은 나라에서 발생하는 사건·사고를 접할 때면 마음이 아려온다.

  내면을 직면하는 과정을 쉽사리 좋아하기는 어렵다. 시간 없고, 귀찮고, 변방의 배부른 소리고, 불편하다. 차라리 일이나 운동을 하면 된다고 한다. 그러나 무기력은 직장과 체육관에서마저 어김없이 드러난다. 소위 멘탈 강하다고 으스대며 일삼는 갑질과 분탕질, 근육질 몸매 과시를 넘어 문란한 생활의 척도를 계급으로 왜곡하는 일부의 경우를 보노라면, 정말이지 안타깝고 답답하기에 침묵하게 된다.

  물론 노동과 운동을 삶에서 아예 배제할 수는 없다. 생계와 건강을 유지하기 위해 꼭 필요한 것들이다. 그러나 이 두 가지 수단과 더불어 왜 무기력한지, 여태껏 어떤 상처를 받아왔는지, 곰곰이 반추하며 지난 시절의 나 자신을 토닥여 주는 과정 또한 빼서는 안 된다고 믿는다.

새는 폐곡선을 그린다고 한다. 가을에서 겨울로 넘어가는 시기에는 까마귀 떼가 둥글게 날아다닌다. 혹여 까마귀 떼를 향해 공기총을 쏘더라도 잠시 흩어질 뿐, 먼발치에서 다시 뭉칠 것만 같다. 아무리 악순환을 급히 끊어내더라도 직면 없는 실천이란 과연 존재하는가.

나는 나부터 내면을 직면하며 살아가고 싶다. 나의 내면에는 나 자신과 어린이들을 사랑하는 토실토실한 곰이 있다고 믿는다. 이따금 잠에 빠져 뒹굴지만, 깨어날 때가 더 많으므로 매사 기쁠 뿐이다.

'느와르(Noir)'는 단순하게 정의 내릴 수 없는 장르이자 분위기다. 누군가에게는 경찰과 폭력조직의 대치일 수 있다. 혹은 회칼 부딪치는 폭력조직 내부의 혈투일 수도 있다.

내가 구축하고픈 느와르 세계관이 있다. 경찰 고위 간부와 폭력조직이 없다시피 한 우리네의 평범한 일상 한가운데 또는 그 인근의 변두리, 가깝고도 멀리 있는 정서적 불편감을 지닌 인물들, 그들이 원하는 바를 이루고자 범죄의 요소에 손 뻗고, 끝내 분노와 광기가 발현돼 치닫는 불상사다. 아울러 세계관 속의 시민들이 모를 만큼 은밀하고 폐쇄적인 규모로 전개된다. <전선>과 <아무개>는 이런 구상과 고민으로부터 나왔다.

사랑하는 가족들과 친구들, 살아가며 만난 은인들, 어린이들, 선생님들, 이제현 잇스토리 대표님께 감사의 인사를 올린다.

아울러 삶의 굴곡마다 부대낀 '무기력한 주정뱅이들'이 없었다면, <타오르는 폐곡선>이라는 영상화 기획 소설로 재탄생할 수 없었고, <전선>과 <아무개> 또한 시나리오로도 나올 수 없었으리라 믿어 의심치 않는다. 그들에게도 감사의 인사와 함께 야영지에 서식하는 모기 열 마리를 올린다.

<타오르는 폐곡선>이 독자 여러분의 마음과 더불어 훗날 영화와 드라마로 나와 골목 곳곳에 뻗어나가기를 간절히 바란다.

2024년 1월
강재영

타오르는 폐곡선

지은이 : 강재영

펴낸이 : 이제현

발행일 : 2024년 3월 21일

ISBN : 979-11-93256-19-0(03810)

펴낸곳 : 잇스토리

마케팅 : 매드플랙션

출판신고 : 제 2023-000021호

이메일 : it-story@b-camp.net

잇스토리는 영상 IP 전문 프로덕션입니다.
영화/드라마와 소설의 경계선에서 이야기를 찾아가고 있습니다.
문을 두드려 주세요. 문의와 제안은 언제나 즐겁습니다.

홈페이지 : http://itsastory.modoo.at

인스타그램 : http://instagram.com/it_story.kr

블로그 : http://blog.naver.com/it-story